U0115868

近現代中華文化思想叢刊

晚清民國的國學研究

下冊

桑兵　著

目次

緒論 ……………………………………………………………… 1

上冊

第一章　晚清民國的國學研究與西學 ……………… 1

　一　西人東來 ………………………………………… 1

　二　科學與學科 ……………………………………… 9

　三　國際漢學的影子 ………………………………… 22

第二章　近代中國學術的地緣與流派 ……………… 31

　一　粵人與南學 ……………………………………… 31

　二　太炎門生 ………………………………………… 38

　三　新文化派 ………………………………………… 48

　四　學分南北 ………………………………………… 61

第三章　大學史學課程設置與學風轉變 ………… 71

　一　史家之總法 ……………………………………… 71

　二　議論與講學 ……………………………………… 77

　三　南北異同 ………………………………………… 84

　四　綜合與考據 ……………………………………… 90

第四章　五四新文化運動的國際反響
　　　　——以整理國故為中心 ················· 97

　一　日本：有信有疑 ························· 97
　二　韓國：聲應氣求 ························ 105
　三　歐美：漢學專利 ························ 112
　四　內外有別 ······························ 119

第五章　東方考古學協會 ······················· 123

　一　新興學科 ···························· 123
　二　意在結盟 ···························· 129
　三　分歧與影響 ·························· 138

第六章　陳寅恪與清華研究院 ················· 145

　一　入院因緣 ···························· 145
　二　師生名分 ···························· 153
　三　講學與研究 ·························· 161

下冊

第七章　陳寅恪與中國近代史研究 ··········· 173

　一　不古不今 ···························· 173
　二　咸同之世 ···························· 184
　三　具有統系與不涉附會 ·················· 192

第八章 陳垣與國際漢學界
——以與伯希和的交往為中心 ⋯⋯⋯⋯ 207

一 獨吾陳君 ⋯⋯⋯⋯⋯⋯⋯⋯⋯⋯⋯⋯ 207

二 海內公意 ⋯⋯⋯⋯⋯⋯⋯⋯⋯⋯⋯⋯ 213

三 漢學正統 ⋯⋯⋯⋯⋯⋯⋯⋯⋯⋯⋯⋯ 218

四 天下英雄誰敵手 ⋯⋯⋯⋯⋯⋯⋯⋯⋯ 222

第九章 廈門大學國學院風波 ⋯⋯⋯⋯⋯⋯⋯ 227

一 舊嫌新隙 ⋯⋯⋯⋯⋯⋯⋯⋯⋯⋯⋯⋯ 227

二 文理爭風 ⋯⋯⋯⋯⋯⋯⋯⋯⋯⋯⋯⋯ 236

三 學派與政爭 ⋯⋯⋯⋯⋯⋯⋯⋯⋯⋯⋯ 243

第十章 胡適與《水經注》案探源 ⋯⋯⋯⋯⋯ 251

一 作案動機 ⋯⋯⋯⋯⋯⋯⋯⋯⋯⋯⋯⋯ 252

二 案中有案 ⋯⋯⋯⋯⋯⋯⋯⋯⋯⋯⋯⋯ 257

三 意在爭勝 ⋯⋯⋯⋯⋯⋯⋯⋯⋯⋯⋯⋯ 263

四 治學方法 ⋯⋯⋯⋯⋯⋯⋯⋯⋯⋯⋯⋯ 271

第十一章 近代學術轉承：從國學到東方學
——以傅斯年《歷史語言研究所工作
之旨趣》為中心 ⋯⋯⋯⋯⋯⋯⋯⋯ 279

一 新史學與史學革命 ⋯⋯⋯⋯⋯⋯⋯⋯ 280

二 新舊難辨 ⋯⋯⋯⋯⋯⋯⋯⋯⋯⋯⋯⋯ 289

三 科學的東方學之正統 ⋯⋯⋯⋯⋯⋯⋯ 297

四 專精與博通 ⋯⋯⋯⋯⋯⋯⋯⋯⋯⋯⋯ 306

再版後記 ⋯⋯⋯⋯⋯⋯⋯⋯⋯⋯⋯⋯⋯⋯⋯⋯⋯⋯⋯⋯⋯ 313

徵引書目 ⋯⋯⋯⋯⋯⋯⋯⋯⋯⋯⋯⋯⋯⋯⋯⋯⋯⋯⋯⋯⋯ 315

人名索引 ⋯⋯⋯⋯⋯⋯⋯⋯⋯⋯⋯⋯⋯⋯⋯⋯⋯⋯⋯⋯⋯ 331

第七章
陳寅恪與中國近代史研究

　　陳寅恪治學求通，即以史而論，上自魏晉，下迄明清，均有深入而精當的論述。其「不敢觀三代兩漢之書」，原因甚多。有心超越前賢及同輩，個人訓練不在上古文字，均為要因。最關鍵的，還在他認為上古史料遺留不足，難以坐實。至於不治晚清歷史，則是要避免感情牽連，立論不公。不過，陳家祖孫幾代，與一部近代中國史淵源深廣，其論人論事，不免時常涉及有關史實。陳寅恪晚年親撰《寒柳堂記夢》，欲以「家史而兼信史」，更被視為「已改變往昔不研究晚清政局之初衷，決心在晚年親自著手闡明所知晚清史事真相，自信已能『排除恩怨毀譽』，作出經得起審查的公正論述，以存信史而待後之識者。」[1]尤其重要的是，探究陳寅恪與近代史研究的關係，有助於深入理解和把握其晚年學術思想與方法的發展，為學術研究特別是近代史研究開闢新的境界。

一　不古不今

　　陳寅恪雖然在1940年代聲稱其不治晚清史，但晚清史的概念在當時並不等於近代史。而陳寅恪的主要研究領域在相當長的時期內至少包含時人公認的近代史。

1　石泉：《甲午戰爭前後之晚清政局·自序》，北京，生活·讀書·新知三聯書店1997年版，第3頁。

陳寅恪關於近代史的看法，為人引述最多者，恐怕要數寫於1933年的《馮友蘭中國哲學史下冊審查報告》所謂：「寅恪平生為不古不今之學，思想囿於咸豐同治之世，議論近乎曾湘鄉張南皮之間」[2]。這段話乍看意思顯然，其實玄機隱伏，不易理解。如「不古不今之學」，有學者認為「指國史中古一段，也就是他研究的專業」[3]。具體而言，即佛教史、唐史、詩史互證和六朝史論。此說雖然有1923年陳寅恪親筆的「與妹書」、以及後來（約1935年）楊聯升筆錄的隋唐史第一講筆記等資料佐證，[4]似與史實大有出入。

陳寅恪號稱不治上古及晚清歷史，只是不寫論著而已。即使以其平生撰述為範圍，自魏晉迄明清，均有精深的研究，很難以「國史中古一段」來界定。1930年代以後，他雖然將主要精力集中於魏晉隋唐史和唐代詩文，仍然重視宋以後的歷史。他為鄧廣銘《宋史職官志考證》作序，很大程度是為了宣導以良法治宋代歷史文化的「新宋學」。尤其是對明清史的研究，不僅始終未曾忽視，而且一直沒有停止。他在清華研究院擔任的指導學科之一，是蒙古、滿洲書籍及碑誌與歷史有關係者之研究[5]；1926年擔任北京大學研究所國學門導師，提出的四項研究題目中，包括搜集滿洲文學史材料[6]；1928年中央研究院歷史語言研究所在廣州成立，陳寅恪被聘請為研究員，以秘書代行所長職務的傅斯年希望他就近在北京負責整理內閣大庫檔案。[7]

2　《陳寅恪史學論文選集》，第512頁。

3　汪榮祖：《陳寅恪評傳》，第81頁。

4　陳寅恪與妹書稱：「我所注意者有二：一歷史，唐史、西夏、西藏即吐蕃藏文之關係不待言；一佛教……。」（《學衡》第20期，1923年8月）此說人多解為陳寅恪指明自己的治學志向，然細察上下文意，所說實為習藏文的目的不在語言文字，而在歷史與佛教，並非表明學術志向。

5　《清華周刊》第351、408期；《國學論叢》第1卷第1號。

6　《研究所國學門通告》，《北京大學日刊》第2000號，1926年12月8日。

7　王汎森、杜正勝編：《傅斯年文物資料選輯》，第64-65頁。

　　歷史語言研究所遷往北平後，其下設的第一組即歷史組的工作內容為關於史學各方面及文籍考訂，具體研究標準為：

> 「一、以商周遺物、甲骨、金石、陶瓦等，為研究上古史的對象；二、以敦煌材料及其它中亞近年出現的材料為研究中古史的對象；三、以內閣大庫檔案，為研究近代史的對象。」[8]

　　可見這時一般的或正統的近代史概念，其上限起於明清，而不是現在通行的晚清。根據各人的研究課題，屬於第一項上古史的為研究員傅斯年（古史中關於文學與制度）、丁山（殷契亡吏之研究）、容庚（古器物書目）、編輯員徐中舒（中國古代人種史之研究）；屬於第二項中古史的為陳垣（北平舊藏敦煌材料目錄）；只有陳寅恪的研究課題屬於第三項，並跨越第二項，具體為「整理明清兩代內閣大庫檔案史料，政治、軍事、典制收集、并考定蒙古源流、及校勘梵番漢經論。」也就是說，包括中古史和近代史的內容，而且似以近代史為主。[9]所以，無論如何，不能以「不古不今」劃定陳寅恪的治學範圍，臆測為僅僅指國史中古一段。

　　陳寅恪的行為是其治學主張的體現。1935年，他在為陳垣《元西域人華化考》所作序言中，對於「今日吾國治學之士，競言古史，察其持論，間有類乎清季誇誕經學家之所為者」的現象痛加針砭，同時聲言：「寅恪不敢觀三代兩漢之書，而喜談中古以降民族文化史」[10]。由此可見，陳寅恪雖然自外於上古史領域，卻從未將屬於「中古以

8　《三十五年来中國之新文化》，高平叔編：《蔡元培全集》第6卷，第84頁。

9　《中央研究院過去工作之回顧與今後努力之標準》，《蔡元培全集》第5卷，第371-372頁。

10　《陳寅恪史學論文選集》，第506頁。

降」的近代史劃出研究範圍，而將自己局限於中古一段的狹境之中。儘管這絕不否認其對於唐史情有獨鍾。況且，依據劉桂生教授的見解，陳寅恪鍾情於唐史的「更直接更重要的原因，則在於先生認為，近代中國國勢與唐代極為相似，因而治唐史有助於瞭解近代中國這樣一番道理。」[11]

值得注意的是，儘管陳寅恪擔任的課程及其撰述多在中古時期，其關於清史的研究則一直親自在實際進行之中，上述擔任的各種指導、研究項目，絕非僅僅掛名而已。陳識滿文，「在清華時不論天氣多冷多熱，他常乘車到大高店軍機處看檔案。清時機密都以滿文書寫，先生一本一本看，那是最原始史料，重要的隨手翻譯。」[12]他又好宋以下集部，留學期間，即好與曾琦等人談清代掌故，於明清史實知之甚詳。清華研究院畢業、專治明史的陳守實與之「談明清掌故頗久」，讚歎道：「師諳各國文字，而於舊籍亦翻檢甚勤，淹博為近日學術界上首屈一指之人物。」對於新近告成的《清史》，陳寅恪極為不滿，認為「草率」，「謂十六年告成，以清代事變之煩劇，斷非倉猝間能將三百年之史實一一整理者也。」陳守實痛斥「清史館皆昏悖之徒」，「清代事變複雜，以昏悖之徒當之，十餘年即成，不問可知為皆無俚文人之濫調惡套耳，不值得一觀也。」陳寅恪也表示「首肯」。

---

11 劉桂生：《甲午戰爭前後之晚清政局・序》，第2頁。據李涵1944年下半年聽陳寅恪唐史課筆記，其第二節《如何研究唐史》稱：「首先應將唐史看作與近百年史同等重要的課題來研究。蓋中國之內政與社會受外力影響之巨，近百年來尤為顯著，……因唐代與外國、外族之交接最為頻繁，不僅限於武力之征伐與宗教之傳播，唐代內政亦受外民族之決定性的影響。故須以現代國際觀念來看唐史，此為空間的觀念。其次是時間上的觀念。近百年來中國的變遷極速，有劃時代的變動。對唐史亦應持此態度，如天寶以前與天寶以後即大不相同，唐代的變動極速，此點務須牢記。」石泉、李涵：《聽寅恪師唐史課筆記一則》，北京大學中國中古史研究中心編：《紀念陳寅恪先生誕辰百年學術論文集》，北京大學出版社1989年版，第34頁。
12 陳哲三：《陳寅恪先生軼事及其著作》，《傳記文學》第16卷第3期，1970年3月。

他收集整理研究清代史料的用意之一，便是打算編撰滿洲《藝文志》，「此亦《清史》之一重要部分」[13]。

　　排除治學範圍的時間限定，所謂「不古不今之學」，究竟何指？其今典顯然與當時的一樁學術公案有關。1930年以前，「故都各大學本都開設經學史及經學通論諸課，都主康南海今文家言。」這時的任課教師中雖然不少為章太炎的弟子門生，在經學方面，卻大都由古文而趨今文。其實今古文之辯恰如漢宋之爭，各執一端，不免偏蔽。尤其是今文學一脈，於近代思想史上影響極大。但就學術而言，則語多妖妄，不足徵信。1930年，由顧頡剛主編的《燕京學報》第7期刊登錢穆的《劉向歆父子年譜》，羅列康有為《新學偽經考》關於劉歆偽造經書說的28點不通之處，並詳明因果。此論一出，反響強烈，「各校經學課遂多在秋後停開。但都疑余（即錢穆）主古文家言。」[14]

　　民國以後，學術領域的今古、漢宋之爭表面上雖然逐漸淡化，其精神則依然貫穿於新舊、中西、泥疑、考釋、科玄等派分論辯之中。此種分歧的出現，根本源於人類社會為人的有意識活動與社會有規律運動的結合體，本來統一的客體反映於認識的主觀，難免分裂為兩面。歐美的科學主義與人本主義相互對壘，亦由於此。因此，錢穆在攻破今文家神話的同時，卻被誤解為古文家。而他的本意實在於破除今古，兼採漢宋，不分新舊，溝通中外。1933年2月，錢穆應邀為羅根澤編著的《古史辨》第4冊作序，表面替考據辯護，其實「著眼於中國民族文化之前途，頗有慨於現今大思想家的缺乏」。因而有評論稱：「這在北平的學術界裏充滿著『非考據不足以言學術』的空氣之

---

13 陳守實：《學術日錄〔選載〕‧記梁啟超、陳寅恪諸師事》，《中國文化研究集刊》第1輯。

14 錢穆：《八十憶雙親‧師友雜憶》，第160頁。

中，尤其是對症發藥的文字」[15]。是年5月，錢穆講演龔自珍的思想與性格，朱自清敏銳地察覺到：「蓋錢意在調和漢宋，其志甚偉雲。」[16]

不過，錢穆的主張及其學術成就似乎並未得到各方公認，如傅斯年的認可即止於《劉向歆父子年譜》。馮友蘭關於老子年代的認識與錢穆大體一致，但對以史治經、子的做法似乎不以為然，對後者編年體的表述方式頗有異議。1932年錢穆的《先秦諸子繫年》完稿，經顧頡剛介紹，申請列入清華叢書。列席審查者三人，馮友蘭「主張此書當改變體裁便人閱讀」，陳寅恪則私下告人：「自王靜安後未見此等著作矣」[17]。因為意見分歧，此書未獲通過，後來於1935年由商務印書館出版。陳寅恪對此結果相當不滿，屢屢在不同場合讚揚錢著，以抱不平。如1933年3月4日在葉公超晚宴上：

> 「談錢賓四《諸子繫年》稿，謂作教本最佳，其中前人諸說皆經提要收入，而新見亦多。最重要者說明《史記‧六國表》但據《秦記》，不可信。《竹書紀年》係魏史，與秦之不通於上國者不同。諸子與《紀年》合，而《史記》年代多誤。謂縱橫之說，以為當較晚於《史記》所載，此一大發明。寅恪雲更可以據楚文楚二主名及《過秦論》中秦孝公之事證之。」[18]

次年5月16日，陳又對楊樹達「言錢賓四（穆）《諸子繫年》極精湛。時代全據《紀年》訂《史記》之誤，心得極多，至可佩服。」[19]而這時錢穆的著作尚未出版。

---

15 《讀書雜志》第2卷第7號，1933年4月10日。
16 朱喬森編：《朱自清全集》第9卷，南京，江蘇教育出版社1997年版，第225頁。
17 錢穆：《八十憶雙親‧師友雜憶》，第160頁。
18 朱喬森編：《朱自清全集》第9卷，第202頁。標點有所調整。
19 楊樹達：《積微翁回憶錄》，第82頁。

　　不僅如此，陳寅恪對大約同時送審並獲得通過的馮友蘭《中國哲學史》下冊不無微辭。葉公超宴會上，他於表彰未獲通過的錢著的同時，「又論哲學史，以為漢魏晉一段甚難。」[20]這顯然針對馮著下冊而言。細讀其審查報告，上冊褒意明顯，而下冊貶辭時現。雖稱下冊「於朱子之學，多所發明」，實則作者「取西洋哲學觀念，以闡明紫陽之學，宜其成系統而多新解。」陳認為秦以後思想演變「只為一大事因緣，即新儒學之產生，及其傳衍而已」，而馮著於新儒家產生諸問題，猶有未發之覆在，並且為數不少，相當關鍵，則下冊出版，與上冊相較，於中國哲學史的形式備則備矣，內容卻未必美。況且這種「取西洋哲學觀念，以闡明紫陽之學」的做法，是否真能「自成系統，有所創獲」，還要看其「吸收輸入外來之學說」與「不忘本來民族之地位」的「相反而適相成之態度」[21]如何。就此而論，馮著恐怕有偏於今之嫌，與陳寅恪的見解不相鑿納，難逃愈有條理系統，去事實真相愈遠之譏。

　　對於今古文經學，陳寅恪的看法與錢穆頗有相通之處。其祖父陳寶箴當年即「喜康有為之才，而不喜其學也。」他本人雖然不治經學，其實研究甚深，家法門戶，源流脈絡，瞭若指掌[22]。他認為：「清代今文公羊學者唯皮錫瑞之著述最善，他家莫及也。」對今文家治邊疆史地，從來批評不少。至於影響民初學術甚大的康有為一派，則斷為：

　　　「今日平心論之，井研廖季平、及南海初期著述尚能正確說明

20　朱喬森編：《朱自清全集》第9卷，第202頁。

21　《陳寅恪史學論文選集》，第510-512頁。至於馮著上冊，陳寅恪於字裏行間也有所不滿。

22　陳寅恪曾為吳宓「述中國漢宋門戶之底蘊，程、朱、陸、王之爭點，及經史之源流派別。」吳宓「大為恍然」，慨歎「為學能看清門路，亦已不易，非得人啟迪，則終於閉塞耳。」吳宓著，吳學昭整理注釋：《吳宓日記》第2冊，第28頁。

西漢之今文學。但後來廖氏附會《周禮》占夢之語；南海應用
《華嚴經》中古代天竺人之宇宙觀，支離怪誕，可謂『神遊太
虛境』矣。」[23]

對於古文經學同樣不以為然。他批評「號稱極盛」的清代經學雖
然吸引了一世才智之士，但「其謹願者，既止於解釋文句，而不能討
論問題。其誇誕者，又流於奇詭悠謬，而不可究詰。」而且此風一直
影響到民國時期，「今日吾國治學之士，競言古史，察其持論，間有
類乎清季誇誕經學家之所為者。」[24]將今古文學的偏與邪一概推翻。

由此可見，所謂「不古不今之學」，實在並非指國史中古一段，
更不是當事人之一的馮友蘭所講「是說他研究唐史」[25]。此語應是借
錢穆著作涉及近代今古文學興衰浮沉的一段因緣，針對當時學術界泥
古與趨時、墨守與洋化的普遍偏向，首先表明本人的治學處世態度絕
不偏於一端。借用楊樹達的話說，即治學須「先因後創」，「溫故而不
能知新者，其人必庸；不溫故而欲知新者，其人必妄。」[26]其旨意也
就是1911年王國維在《國學叢刊・序》中所說：「餘正告天下曰：學
無新舊也，無中西也，無有用無用也，凡立此名者，均不學之徒，即
學焉而未嘗知學者也。」[27]

其次，則隱含批評馮友蘭新著及其反對出版錢穆《先秦諸子繫
年》之意。馮嫌錢著體裁不便於閱讀，陳寅恪則相反，以為適作為教
本。他主張史學的表述於「文章之或今或古，或馬或班，皆不必計

---

23 石泉整理：《寒柳堂記夢未定稿（補）》，王永興編：《紀念陳寅恪先生百年誕辰學術
論文集》，第47頁。

24 《陳垣元西域人華化考序》，《陳寅恪史學論文選集》，第503-504頁。

25 馮友蘭：《懷念陳寅恪先生》，《紀念陳寅恪先生誕辰百年學術論文集》，第18頁。

26 楊樹達：《積微翁回憶錄》，第129頁。

27 《觀堂別集》卷四，《王國維遺書》第三冊，第202頁。

也。」[28]胡適從白話文、錢鍾書從文言文的角度，都曾批評陳寅恪的文章不高明。[29]但陳的文章用以分析史料，顯示史識，或許恰到好處，言簡意賅而內涵豐富、意味深長的警句層出迭現，往往令人不禁拍案叫絕。

民國尤其是新文化運動以來的學術界，延續今古、漢宋、中西、新舊之爭，加上伴隨西學東漸日益擴大的科學與人本兩大主義彼此攻伐的影響，輪攻墨守，各執一端，泥古或趨時的偏向嚴重。此於思想文化方面的集中體現，為新文化派與《學衡》派的長期論爭。在學術領域，則有融合乾嘉樸學和歐洲東方學的主流派與其它非主流派的分歧及明爭暗鬥。陳寅恪為各派共同賞識的少數例外，與雙方代表人物均保持良好交誼，學術主張則不僅在兩派之間，更超越其上。他曾說：

「以往研究文化史有二失：舊派失之滯。舊派所作中國文化史，……不過抄抄而已。其缺點是只有死材料而沒有解釋。讀後不能使人瞭解人民精神生活與社會制度的關係。新派失之誣。新派是留學生，所謂『以科學方法整理國故』者。新派書有解釋，看上去似很有條理，然甚危險。」[30]

所謂不古不今，也有不新不舊（以當時語境而言）的意思在內。進而言之，則是既不泥古亦不疑古，既不薄今亦不趨時。

28　陳守實：《學術日錄〔選載〕‧記梁啟超、陳寅恪諸師事》，《中國文化研究集刊》第1輯。

29　汪榮祖：《胡適與陳寅恪》，《陳寅恪評傳》，第255頁。

30　卞僧慧：《懷念陳寅恪先生》，引自蔣天樞：《陳寅恪先生傳》，《紀念陳寅恪先生誕辰百年學術論文集》，第4頁。

　　陳寅恪與各派人際關係的緊密，其實多為各派引其為同道或同調，而陳寅恪對各派的學識主張，則分別有相當的保留，不可妄斷為摯友知音。他衷心推崇的學人，如王國維、陳垣、楊樹達等，大體均在各派之外甚至之上。從學術史的角度看，主流派的脈絡最具代表性的應是從北京大學研究所國學門到中央研究院歷史語言研究所一系。陳寅恪雖然先後擔任國學門導師和史語所研究員，得到新派領袖人物如胡適、傅斯年等人的高度評價，學術見解卻有明顯距離。國學門由留日的太炎門生及歐美留學生組成，陳寅恪對於其宣導以科學方法整理國故，實則用外來系統條理固有材料很不以為然，多次指陳其穿鑿附會之弊。

　　史語所的宗旨見於傅斯年《工作旨趣》，雖有人以此為「新史學」發端的宣言，其實精神、主張和基本做法與北大國學門及其衍生出來的廈門大學國學院、中山大學語言歷史研究所一脈相承。[31]而傅斯年公開批評章太炎以及宣稱治學不讀書而專找材料，則在科學主義的路途上朝著國際漢學或東方學的方向走得更遠。此舉看似與陳寅恪等人治學的科學性相通，其實相當程度上脫離了中國學術的正軌。陳寅恪對錢穆著作的推崇和傅斯年對錢的不以為然，可以說是陳、傅治學主張不同的明證。儘管錢穆后來著重講宋學，多少有違其「義理自故實出」[32]的初衷，與陳寅恪一生堅持「講宋學，做漢學」[33]有異，但他長期被排擠於學術主流之外，仍然反映了主流派的偏頗。所以1968年錢穆當選為中研院院士，嚴耕望稱為「象徵中國文史學界同異

31　參見陳以愛：《中國現代學術研究機構的興起——以北京大學研究所國學門為中心的探討（1922-1927）》，第360-392頁。

32　錢穆：《古史辨》第4冊《序言》。

33　據汪榮祖教授見告，為錢鍾書對陳寅恪治學的評語。錢意別有褒貶，但轉換角度理解，則相當貼切。

學派之結合，尤具重大意義」[34]。

　　陳寅恪與舊派的關係同樣須從其它方面著眼，才能認識清楚。所謂舊派，也就是通常所稱文化守成者，包括老輩與新人中的對新文化派持異議者。因家世淵源，陳與文化遺民乃至政治遺老都易於接近，加上與王國維交誼甚篤，羅振玉等對其期望甚殷。不過，陳寅恪的某些學術文化見解和態度做法，仍引起老輩的不滿，如以對對子為清華國文考題，便招致非議，以致不得不公開答辯。他對老輩學人中的要角張爾田等人的學行，也不無異辭。這一派的新生代中，吳宓頗具典型性。陳之於吳，在師友之間，吳對陳的學問見識佩服得五體投地，但反過來則未必然。所以從吳宓的角度論證兩人關係，所見多為吳宓的一廂情願，而非彼此心心相印。吳宓日記中的陳寅恪，很大程度上也是吳宓眼中的陳寅恪，與後者的本相不無出入。其實，吳宓的學術詩文不僅難以得到陳寅恪的賞識，年輕一輩的張蔭麟、浦江清等也微辭不少。

　　陳寅恪與吳宓的共鳴，在於不贊成一律白話文[35]、堅持本位文化、學術獨立、思想自由、反對激進變革與社會動盪等方面。至於學術，則吳宓基本還是文士。他對好考據的中外學者不無偏見，喜歡舊體詩，卻又無甚天賦。[36]吳宓信奉白璧德的新人文主義，陳寅恪對此

---

34 嚴耕望：《錢穆賓四先生與我》，第31頁。

35 朱喬森編：《朱自清全集》第9卷，第163-164頁。1932年10月3日，浦江清與朱自清談中國語言文字之特點和比較文學史方法，認為中國語為孤立語，異於印歐之屈折語和日本、土耳其之黏著語；為分析的，非綜合的，乃語言之最進化者；一開始即與語離；中國文學當以文言為正宗等等。朱自清稱：「浦君可謂能思想者，自愧弗如遠甚」。其實浦的許多見識，顯然來自陳寅恪。這在陳寅恪與歷任助手的關係中，可謂異例。或者陳寅恪當時仍在少壯，與助手的年齡差距較小，論人論學，比較直白。

36 浦江清《清華園日記》載：「吳雨僧先生到校招余去談，因觀其《南遊雜詩》百首，佳者甚少。吳先生天才不在詩，而努力不懈，可怪也。」（第13頁）

可稱同道,但並非信徒。陳所主張實行者,在溝通科學與人本主義並跨越其上。其做漢學的一面,便與吳宓清楚分界。緣吳宓的見解認識陳寅恪,必然是經過主觀判斷過濾的片面。

二 咸同之世

因身世交遊的關係,陳寅恪常常談及近代歷史的種種人事。他自稱「對晚清歷史還是熟悉的」[37],則其看法並非興之所至的任意評點,也不是一家一姓的是非恩怨,而是以論學治世態度深思熟慮而得出的「數十年間興廢盛衰之關鍵」[38]。仔細考察,更有前後一貫的系統性。

「思想囿於咸豐同治之世,議論近乎曾湘鄉張南皮之間」,今人多以中體西用及綱常名教定位,認真考究,也未必盡然。鄧廣銘教授即認為:

> 「近四五十年內,凡論述陳先生的思想見解者,大都就把這幾句自述作為陳先生的最確切的自我寫照。既然自稱『近乎曾湘鄉、張南皮』,於是而就斷定陳先生是一個主張『中學為體,西學為用』的人。我對於這樣的論斷卻覺得稍有難安之處。因為,我在前段文字中所引錄的《王觀堂先生挽詞》的《序》中的那段話,乃是陳先生自抒胸臆的真知灼見,而所表述的那些思想,豈是咸豐、同治之世所能有的?所發抒的那些議論,又豈是湘鄉、南皮二人之所能想像的呢?」

---

37 石泉、李涵:《追憶先師寅恪先生》,《紀念陳寅恪教授國際學術討論會文集》,第57頁。

38 《寒柳堂記夢未定稿》,《寒柳堂集》,第168頁。

　　並且斷言：陳先生的幾句自述，實際上只是一種託詞。「如果真有人在研究陳先生的思想及其學行時，只根據這幾句自述而專向咸豐、同治之世和湘鄉、南皮之間去追尋探索其蹤跡與著落，那將會是南轅而北轍的。」[39]

　　陳寅恪重視綱常名教，源於他對民族文化史的深刻認識。他認為：「中國古人，素擅長政治及實踐倫理學」；「中國家族倫理之道德制度，發達最早。周公之典章制度，實為中國上古文明之精華。」[40]這也就是後來所說「二千年來華夏民族所受儒家學說之影響，最深最巨者，實在制度法律公私生活之方面」[41]。但這是千古不變的一面，不僅限於咸豐同治之世。專門提出咸、同之世，曾、張之間，除了維護名教之外，必有其它新的因素。而且此節必然關係中國近代變化轉折的關鍵。

　　馮友蘭解釋道：

　　　「咸豐、同治之間的主要思想鬥爭，還是曾國藩和太平天國之間的名教和反名教的鬥爭。曾國藩認為，太平天國叛亂是名教中的『奇變』。他所謂名教。就其廣義說，就是中國傳統文化。他認為，太平天國是用西方的基督教毀滅中國的傳統文化。這就是所謂『咸豐、同治之世』的思想。曾國藩也是主張引進西方的科學和工藝，但是要使之為中國傳統文化服務。這就是封建歷史家所說的『同治維新』的主體。張之洞用八個字把這個思想概括起來，即『中學為體，西學為用』，這就是所

---

39 《在紀念陳寅恪教授國際學術討論會閉幕式上的發言》，《紀念陳寅恪教授國際學術討論會文集》，第33-34頁。
40 吳宓著，吳學昭整理注釋；《吳宓日記》第2冊，第101-102頁。
41 《陳寅恪史學論文選集》，第511頁。

謂『湘鄉、南皮之間』的議論。」[42]

此說之於社會常情及變態大體不錯，但具體到個人殊境，則難免有不盡不實之處。

綱紀說見於1927年《王觀堂先生挽詞並序》，陳寅恪指出：

「夫綱紀本理想抽象之物，然不能不有所依託，以為具體表現之用；其所依託以表現者，實為有形之社會制度，而經濟制度尤其最要者。故所依託者不變易，則依託者亦得因以保存。……（道光以後）社會經濟之制度，以外族之侵迫，致劇疾之變遷；綱紀之說，無所憑依，不待外來學說之掊擊，而已銷沉淪喪於不知覺之間；雖有人焉，強聒而力持，亦終歸於不可救療之局。蓋今日之赤縣神州值數千年未有之巨劫奇變；劫盡變窮，則此文化精神所凝聚之人，安得不與之共命而同盡」。

這裡雖然包含作者對中國文化的觀念，但主旨在於瞭解同情王國維「不得不死」的立場，並不完全代表作者的態度。如果陳寅恪與王國維居於同一立場，如有人稱之為「遺少」者，則其不與觀堂一致行動，豈非苟活？陳家與清室，恩怨分明[43]，陳寅恪雖然不一定知其詳，從其關於晚清史的諸多議論，很難看出多少戀清情結。即使文化遺民說，所謂明知不可為而為之，也與其具體行為不相吻合。

文化遺民說的重要支撐是中體西用觀，1961年吳宓日記：「然寅

---

42 馮友蘭：《懷念陳寅恪先生》，《紀念陳寅恪先生誕辰百年學術論文集》，第18頁。

43 詳參拙文《甲午臺灣內渡官紳與庚子勤王運動》，《歷史研究》1995年第6期；《論庚子中國議會》，《近代史研究》1997年第2期。

恪兄之思想及主張，毫未改變，即仍遵守昔年『中學為體，西學為用』之說（中國文化本位論）」[44]。說陳寅恪堅持中國文化為本位，當屬的論，但他的「中體西用」文化觀的經典表述，仍是《馮友蘭中國哲學史下冊審查報告》所說：

> 「其真能於思想上自成系統，有所創獲者，必須一方面吸收輸入外來之學說，一方面不忘本來民族之地位。此二種相反而適相成之態度，乃道教之真精神，新儒家之舊途徑，而二千年吾民族與他民族思想接觸史之所昭示者也。」

這與晚清名臣張之洞的中體西用說精神雖無二致，內涵卻有分別。尤其重要的是，如以中體西用說來詮釋，則其議論當與張之洞相等，而不能說近乎湘鄉、南皮之間。陳、吳二人交誼甚久，見識學問卻差距甚大，即使推心置腹，吳也未必能理解到位。何況陳對吳的學行，心非之處不少。訴諸言論之外，別有隱辭。

陳寅恪治明清史事，極注意人物的身世交遊。所謂咸、同之世與湘鄉、南皮之間，與此也有密切關係。汪榮祖教授在新編《陳寅恪評傳》中，已經發現，所謂「思想囿於咸豐、同治之世」，「當然不是要認同咸同時代的保守思想。事實上，不僅僅是咸同將相開創了『同治中興』的新局，而且咸同時代的進步人士，特別是郭嵩燾、馮桂芬、以及陳寶箴，實為同光變法思想的先驅。度寅恪之意，他是要明變法思想的源流。」[45]陳寅恪1945年《讀吳其昌撰梁啟超傳書後》論及：

---

44 吳學昭：《吳宓與陳寅恪》，第143頁。

45 汪榮祖：《陳寅恪評傳》，第27頁。傅璇宗的《陳寅恪文化心態與學術品位的考察》也指出：「張之洞的中體西用說有著強烈的政治內涵，而陳寅恪則是借用，是用來說明他對中外文化相互交流和影響的看法」（張傑、楊燕麗選編：《解析陳寅恪》，北京，社會科學文獻出版社1999年版，第5-10頁）。

「（近代之）言變法者，蓋有不同之二源，未可混一論之也。
咸豐之世，先祖亦應進士舉，居京師。親見圓明園干霄之火，
痛哭南歸。其後治軍治民，益知中國舊法之不可不變。後交湘
陰郭筠仙侍郎嵩燾，極相欽服，許為孤忠閎識。先君亦從郭公
論文論學，而郭公者，亦頌美西法，當時士大夫目為漢奸國
賊，群欲得殺之而甘心者也。至南海康先生治今文公羊之學，
附會孔子改制以言變法。其與歷驗世務欲借鏡西國以變神州舊
法者，本自不同。故先祖先君見義烏朱鼎甫先生一新《無邪堂
答問》駁斥南海公羊春秋之說，深以為然。據是可知餘家之主
變法，其思想源流之所在矣。」[46]

　　由此而論，咸同之世正是由歷驗世務而主張變法一派產生的時
期，這也是陳寶箴變法思想的源流之所在。

　　儘管陳寅恪追究近代變法二源時聲稱：「餘少喜臨川新法之新，
而老同涑水迂叟之迂」，認為半世紀以來，社會退化，「是以論學論
治，迥異時流，而迫於事勢，噤不得發。」[47]實則十餘年前，顯然仍
是贊成先祖的變法主張和途徑。而這種主張和途徑，不僅時間發源於
湘鄉、南皮之間，內容也與二者近似而有所分別。

　　大體而言，近代知識人的變革圖強主張，確有一激進化趨勢。雖
然各階段的具體動因不一，共性則在為學人從一定的思想或主義出
發，樹立以外部為原型的理想化目標，再用以改造社會。因而在理想
與現實之間，往往需要相當長的調整過程，才能逐漸磨去空想的成
分，走向務實的正途。陳寅恪揭示近代變法不同之二源，其意義不僅

46　《寒柳堂集》，第148-149頁。
47　《寒柳堂集》，第150頁。

限於戊戌之際，因為在康有為之後，變革派大致均不源於「歷驗世務欲借鏡西國以變神州舊法者」之一脈。汪榮祖教授認為：「所謂『二源』，並非思想本質有大異，而是穩健與冒進之別。冒進之失敗，更感到未採穩健以達變法目的之遺憾。」[48]如以變法與否的新舊之別作為思想本質的權衡，當然沒有大異，但在穩健與冒進的形式之下，二源的思想方式的確相去甚遠。

不少學人已經注意到，「寅恪先生絕不是一個『閉門唯讀聖賢書』的書呆子」，其滿篇考證骨子裏談的都是成敗興亡的政治問題[49]。1919年吳宓與之相識於哈佛，「聆其談述，則寅恪不但學問淵博，且深悉中西政治、社會之內幕。」[50]如偶及婚姻之事，陳為其細述所見歐洲社會實在情形，竟能將貴族王公、中人之家和下等工人的情況分別詳述，指出：「西洋男女，其婚姻之不能自由，有過於吾國人。」並且進而申論：「蓋天下本無『自由婚姻』之一物，而吾國競以此為風氣，宜其流弊若此也。即如憲法也，民政也，悉當作如是觀。捕風捉影，互相欺蒙利用而已。」[51]

這與五四以來東西文化的籠統類比，不啻天壤之別。1923至1924年留學歐洲期間，他曾與積極組織政黨活動的曾琦等人交往，「高談天下國家之餘，常常提出國家將來致治中之政治、教育、民生等問題：大綱細節，如民主如何使其適合中國國情現狀，教育須從普遍徵兵制來訓練鄉愚大眾，民生須儘量開發邊地與建設新工業等。」[52]後

48 汪榮祖：《陳寅恪評傳》，第27頁。

49 季羨林：《回憶陳寅恪先生》，《懷舊集》，北京大學出版社1996年版，第198-199頁。

50 吳宓著、吳學昭整理：《吳宓自編年譜》，第188頁。陳寅恪晚年的助手黃萱也有類似看法。

51 吳宓著，吳學昭整理注釋：《吳宓日記》第2冊，第20-21頁。

52 李璜：《憶陳寅恪登恪昆仲》，錢文忠編：《陳寅恪印象》，上海。學林出版社1997年版，第6頁；曾琦：《旅歐日記》，曾慕韓先生遺著編輯委員會編：《曾慕韓先生遺

來他指責戊戌以來50年中國政治退化，依據之一即是以國會為象徵的所謂民主政治。[53]陳寅恪雖然不曾主動參與政治活動，卻有獨立的態度和主張。他與新舊各派人物均維持關係，以致各方面都視之為同道，恰好顯示了特立獨行的治學處世態度，與康有為以後不同的學派政派之文化政治觀念往往各走極端相異，而與其先祖的變法態度相通。相通的根據，則是對中國歷史文化及社會現實的深刻認識。

立於戊戌以後各種政派學派之間的政治、文化觀念，其精神主旨與中體西用的方向並無二致。但具體到曾國藩、張之洞其人，則只是「議論近乎」其間而已。曾國藩稱陳寶箴為「海內奇士」，陳則目曾為「命世偉人」[54]。兩家後來更輾轉結為姻親。陳寅恪之於曾國藩，似有敬意而無異辭。不過，曾國藩拯救名教則旗幟鮮明，借鏡西國尚在開端。學術方面，曾主張復興理學，與陳寅恪的學術路徑大異其趣。

至於張之洞的人品學問，陳寅恪諷詞不少。其《王觀堂先生挽詞並序》對張之洞相當推崇：

> 「依稀廿載憶光宣，猶是開元全盛年。海宇承平娛旦暮，京華冠蓋萃英賢。當日英賢誰北斗，南皮太保方迂叟。忠順勤勞矢素衷，中西體用資循誘。總持學部攬名流，樸學高文一例收。」[55]

著》，臺北，中國青年黨中央執行委員會1954年版，第407-418頁。是時曾琦等人與周恩來、徐特立、郭隆真往來較多，陳寅恪之弟陳登恪參與其組黨活動。

53 《寒柳堂集》，第149-150頁。陳寅恪對於西式議會政治的看法，與張之洞的《勸學篇》倒不無契合之處。

54 陳三立：《先府君行狀》，陳三立著，錢文忠標點：《散原精舍文集》，瀋陽，遼寧教育出版社1998年版，第70頁。

55 《寒柳堂集・寅恪先生詩存》，第7頁。

　　張之洞自比司馬光，陳寅恪也有「老同涑水迂叟之迂」的自況，當然是兩人的相通之處。但挽詞的本意似在移情於王國維的立場心境，而非發揮本人的旨趣。陳寅恪認為，在清末清流派中，張之洞先是外官的骨幹，後為京官的要角，[56]而「同光時代士大夫之清流，大抵為少年科第，不諳地方實情及國際形勢，務為高論。由今觀之，其不當不實之處頗多。……總而言之，清流士大夫，雖較清廉，然殊無才實。濁流之士大夫略具才實，然甚貪污。其中固有例外，但以此原則衡清季數十年人事世變，雖不中亦不遠也。」[57]

　　以清流不諳地方實情與國際形勢而論，張之洞算是例外。陳寅恪引吳永《庚子西狩叢談》述李鴻章之言：

> 「天下事為之而後難，行之而後知。從前有許多言官，遇事彈糾，放言高論，盛名鼎鼎，後來放了外任，負到實在事責，從前芒角，立時收斂，一言不敢妄發，迨至升任封疆，則痛恨言官，更甚於人。當有極力訐我之人，而俯首下心，向我求教者。顧臺院現在，後來者依然踵其故步，蓋非此不足以自見。」

並且案道：

> 「合肥所謂前為言官，後為封疆，當極力訐之者，當即指南皮。合肥與漁川談論時，實明言南皮之姓名，漁川曾受南皮知遇，故其書中特為之諱耳。」

56　《寒柳堂記夢未定稿》，《寒柳堂集》，第171頁。

57　《寒柳堂記夢未定稿（補）》，《紀念陳寅恪先生百年誕辰學術論文集》，第36頁。其文又稱：「吾人今日平情論之，合肥之於外國情事，固略勝當時科舉出身之清流，但終屬一知半解，往往為外人所欺紿。」（同書第39頁）

張之洞的轉變從積極方面看可謂與時俱進，但與歷驗世務欲借鏡西國以變神州舊法畢竟有別。況且清代士人尚氣節者多憨直，得官爵者則不免逢迎，與岑春煊的不學無術和袁世凱的不學有術相比，張之洞雖被視為有學無術，但作為清流名士，卻是宦術甚工，至少不在只講功利才能不論氣節人品的濁流之下。此類不肖者巧者善於利用新舊道德標準及習俗以應付環境，往往富貴榮顯，身泰名遂，陳寅恪雖不一定自居於賢拙之列，恐怕也不屑與之為伍。

此外，張之洞私淑陳澧，主張不分漢宋，曾作《書目答問》導人以讀書門徑，所宣導鼓吹的學風彌漫大江南北，隱執晚清士林勝流之牛耳。而陳寅恪對其學識頗有微辭。他雖然批評廖平、康有為的今文學，卻對張之洞《勸學篇》痛斥公羊之學為有取於孔廣森之《公羊通義》不以為然，認為孔「為姚鼐弟子，轉工駢文，乃其特長。而《公羊通義》實亦俗書，殊不足道。」[58]這無疑是指張之洞見識不高。

進而論之，中體西用之說，經過數十年文化論爭，偏蔽顯而易見，無法空言堅持。陳寅恪豈能作繭自縛？所以，無論於學理或時勢，都只能是議論近乎湘鄉、南皮而不能等同。其說既揭示自己的政治學術觀念主張的家世流派淵源，又故意劃清與當時新舊各派的界限。如果牽強為與其中某一派系相同，則此一宣言的特立獨行意義反而喪失殆盡。

三　具有統系與不涉附會

對於清史尤其是晚清史的研究，陳寅恪從史料到史學一直有不少精闢而獨到的見解。其治史強調要收羅古今中外公私敵我正史雜書各

---

58 《寒柳堂記夢未定稿（補）》，《紀念陳寅恪先生百年誕辰學術論文集》，第44、47頁。

種資料，融會貫通。他曾針對倉促成書的《清史稿》談及相關的史料
與史學，認為：

> 「史館中史料殘缺殊甚，某人任某門，則某門之史料即須某人
> 以私人資格搜羅。微特浩如煙海之史料，難由一二私人徵集，
> 即自海通以還，一切檔案，牽涉海外，非由外交部向各國外交
> 當局調閱不可，此豈私人所能為者也？邊疆史料，不詳於中國
> 載籍，而外人著述卻多精到之記載，非徵譯海外著述不可。又
> 如太平軍之役，除官書外，史料亦多缺軼。曾氏初起時，曾遣
> 人之粵偵伺洪氏內幕。此人備歷艱險，作有詳細報告，成一專
> 書，名曰《賊情回報》[59]，今其書尚存，於太平軍中諸領袖人
> 物，皆為作略歷，如小傳，一切法制規例，皆詳列靡遺。此類
> 極有價值之史料，若不出重價購買，則於太平軍內容，必難得
> 其詳。此事亦非私人所能了。又乾隆以前《實錄》皆不可信，
> 而內閣檔案之存者，亦無人過問。清人未入關前史料，今清史
> 館中幾無一人知之，其於清初開國史，必多附會。」

　　1928年，他為挽救由李盛鐸保存、瀕臨毀壞的內閣檔案向各處呼
籲，認為其中「有明一代史料及清初明清交涉檔案，極為重要，……
（清華）研究院如能擴充，則此大宗史料，實可購而整理之」[60]。後
來日本滿鐵公司聞訊，訂約購買。陳寅恪與胡適等人「堅謂此事如任
其失落，實文化學術上之大損失，明史、清史，恐因而擱筆，且亦國

---

59 當指《賊情匯纂》，實情略有不同。

60 陳守實：《學術日錄〔選載〕‧記梁啟超、陳寅恪諸師事》，《中國文化研究集刊》第
　　1輯。

家甚不名譽之事也。」[61]

重視資料搜集之外，陳寅恪晚年的治學重心下移到明清史，其成就及方法對於近代史研究有極為重要的啟示與示範作用。可惜此節尚未得到學術界的充分認識和重視。近代學者，承續清學餘蔭，競相擁擠於古史狹境。「當時學術界凡主張開新風氣者，於文學則偏重元明以下，史學則偏重先秦以上」[62]。所以章太炎批評「今之講史學者，喜考古史，有二十四史而不看，專在細緻之處吹毛求瘢」[63]。1934年2月趙萬里與朱自清談論「現在學術界大勢」，慨歎：「大抵吾輩生也晚，已無多門路可開矣。日本人則甚聰慧，不論上古史而獨埋首唐宋元諸史，故創獲獨多也。」[64]其實不僅日本學者，近代史學界二陳（垣、寅恪），也都是不論上古史。陳寅恪為陳垣《元西域人華化考》作序，稱「先生是書所發明，必可示以準繩，匡其趨向」，「關係吾國學術風氣之轉移者至大」，不僅路徑須「脫除清代經師之舊染」，「合於今日史學之真諦」，而且領域應由「三代兩漢」而「中古以降」[65]。

在民國時期競言古史的學者看來，近代史至多只是餘力所及的副業。幾位大家慧眼獨具，並不輕視近代史，但對於近代史的史料與史學，看法也不盡相同。陳垣自謙道：

> 「近百年史之研究，僕為門外漢。史料愈近愈繁。凡道光以來一切檔案、碑傳、文集、筆記、報章、雜誌，皆為史料。如此

---

61 1928年9月11日《傅斯年致蔡元培函》，高平叔編：《蔡元培全集》第5卷，第285-286頁。

62 錢穆：《八十憶雙親・師友雜憶》，第169頁。

63 諸祖耿記：《歷史之重要》，《制言》第55期。

64 朱喬森編：《朱自清全集》第9卷，第282頁。

65 《陳寅恪史學論文集》，第506頁。

搜集，頗不容易。竊意宜分類研究，收縮範圍，按外交、政
治、教育、學術、文學、美術、宗教思想、社會經濟、商工業
等，逐類研究，較有把握。且既認定門類，搜集材料亦較
易。」[66]

　　此法源自前數年上海《申報五十年紀念特刊》，其實也是陳垣受
西洋科學主義影響，將研究領域細分化的一貫做法。他治明清各教歷
史，雖精於目錄之學，亦知窮搜不易，可以視為經驗之談。

　　與領域廣闊而論證精細的陳垣相比，胡適尤其是梁啟超的風格則
顯得空泛而弘廓。有「上卷書作者」之稱的胡適，中年以前雖有《紅
樓夢》、《醒世姻緣傳》等清代文學方面的考證文字，以及關於清代學
術和思想史的不少著述，功夫還是下在古代。不過，胡適提倡的科學
方法幾乎是放之四海而皆準的常識，他雖然自稱對於明史和近代史
是「門外漢」、「全外行」，治明史的吳晗和治近代史的羅爾綱卻頗得
益於他的點撥。尤其是力勸羅爾綱勿仿舊式文人隨口亂作概括論斷，
做大而無當的報章雜誌文章，須做新式史學，排除主觀見解，盡力搜
求材料，重行構造史實[67]；又告誡吳晗要專題研究，小題大做，認識
相當到位。但他雖不輕視近代史，內心仍不免愈古愈有學問的成見，
認為：

　　「秦、漢時代材料太少，不是初學所能整理，可讓成熟的學者
　　去工作。材料少則有許多地方須用大膽的假設，而證實甚難。
　　非有豐富的經驗，最精密的方法，不能有功。晚代歷史，材料

---

66 約1929年12月3日致臺靜農，陳智超編注：《陳垣來往書信集》，第380頁。
67 耿雲志、歐陽哲生編：《胡適書信集》中冊，第699-704頁。

較多，初看去似甚難，其實較易整理，因為處處腳踏實地，但肯勤勞，自然有功。凡立一說，進一解，皆容易證實，最可以訓練方法。」[68]

　　他批評「近年的人喜歡用有問題的史料來研究中國上古史」，勸羅爾綱治近代史，理由也是「近代史的史料比較豐富，也比較易於鑒別真偽。」[69]胡適所說乃當時人的普遍看法，同時多少也有幾分不識愁滋味的少年得意。他後來傾全力破解全、趙、戴《水經注》公案，憑藉各種便利條件，費半生時間精力，寫了大量文字，仍然枝節橫生，疑點層出不窮，無法結案。他大概體會到了治晚近史的艱難與治古史只是方式有別，而程度無異，甚至有過之無不及，因此儘管還虛張聲勢地大講方法心得，但關於治晚近史較易的想當然之論，卻是欲說還休了。

　　過來人兼研究者的梁啟超對於近代史的史料與史學似乎最能體會其中滋味。他認為：

　　「時代愈遠，則史料遺失愈多，而可徵信者愈少，此常識所同認也。雖然，不能謂近代便多史料，不能謂愈近代之史料即愈近真。例如中日甲午戰役，去今三十年也，然吾儕欲求一滿意之史料，求諸記載而不可得，求諸耆獻而不可得，作史者欲為一翔實透辟之敘述如《通鑒》中赤壁、淝水兩役之比，抑已非易易。」

68　耿雲志、歐陽哲生編：《胡適書信集》上冊，第557頁。
69　羅爾綱：《師門五年記‧胡適瑣記》，北京，生活‧讀書‧新知三聯書店1995年版，第28頁。

　　梁先後指出近代史料不易徵信近真的兩點原因：其一，「真跡放大」。著書者無論若何純潔，終不免有主觀的感情夾雜其間，感情作用支配，不免將真跡放大。其20年前所著《戊戌政變記》，為後來治清史者論戊戌事的可貴史料，本人卻不敢自承為信史。[70]其二，記載錯誤。「此類事實古代史固然不少，近代史尤甚多。比如現在京漢路上的戰爭，北京報上所載的就完全不是事實。吾人研究近代史，若把所有報紙，所有官電，逐日仔細批閱抄錄，用功可謂極勤，但結果毫無用處。」儘管如此，梁啟超還是認為：「大概考證的工夫，年代愈古愈重要，替近代人如曾國藩之類做年譜，用不著多少考證，乃至替清初人如顧炎武之類做年譜，亦不要多有考證，但隨事說明幾句便是，或詳或略之間，隨作者針對事實之大小而決定」[71]。梁啟超坦承其治學粗淺駁雜，謹此可見一斑。

　　章太炎的學問頗受民國學術界勝流的物議，惜為半僵者有之，斥為尸位者亦有之，但於史學的看法大處著眼，仍有他人難以企及之處。他批評史學通病之一為詳上古而略近代，每每於唐虞三代，加以考據，六朝以後漸簡，唐宋以還，則考證無不從略。「歌頌三代，本屬科舉流毒，二十四史自可束諸高閣。然人事變動〔？〕，法制流傳，有非泥古不化所能明其究竟者。」所以「司馬溫公作通鑒，於兩漢以前，多根正史，晉後則旁採他籍，唐則採諸新舊唐書者只什五六，其餘則皆依年月日以考證之，並附考異，以備稽核。誠以近代典籍流傳既富，治史學既有所依據，而其為用有自不同。蓋時代愈近者，與今世國民性愈接近，則其激發吾人志趣，亦愈易也。」[72]章太

70　《中國歷史研究法》，《飲冰室專集》第1冊，臺北，中華書局1972年版，第31、91頁。
71　《中國歷史研究法（補編）》，《飲冰室專集》第1冊，第6、80頁。
72　章太炎：《勸治史學並論史學利弊》，《新聞報》1924年7月20日，轉引自《北京大學日刊》第1526號，1924年9月24日。

炎指近代學者「好其多異說者,而惡其少異說者,是所謂好畫鬼魅,惡圖犬馬也」[73],與陳寅恪不觀三代兩漢之書的見識大抵相通。而由《通鑑》察知史事愈近,愈須考證,且不易考證,也與陳寅恪的主張有異曲同工之妙。

陳寅恪關於近代史的史料與史學的看法,前後當有所調整。其治史重心與辦法,隨各時段史料類型性質的不同而變化,1930年代主治中古史,認為「研上古史,證據少,只要能猜出可能,實甚容易。因正面證據少,反證亦少。近代史不難在搜輯材料,事之確定者多,但難在得其全。中古史之難,在材料之多不足以確證,但有時足以反證,往往不能確斷。」[74]1940年代仍然覺得治史以中古史為先,「上古去今太遠,無文字記載,有之亦僅三言兩語,語焉不詳,無從印證。加之地下考古發掘不多,遽難據以定案。畫人畫鬼,見仁見智,曰朱曰墨,言人人殊,證據不足,孰能定之?中古以降則反是,文獻足徵,地面地下實物見證時有發見,足資考訂,易於著筆,不難有所發明前進。至於近現代史,文獻檔冊,汗牛充棟,雖皓首窮經,迄無終了之一日,加以地下地面歷史遺物,日有新發現,史料過於繁多,幾於無所措手足。」據王鍾翰教授的理解,「是知先生治史以治中古史為易於見功力之微旨,非以上古與近現代史為不可專攻也。」[75]

此言看似與胡適、梁啟超所說相近,其實分別不小。胡、梁之說,主要還在判斷史料與史實的真偽,仍是疑古思想的流風餘韻。陳寅恪則絕不滿足於分別相對而言的人事真偽。其治學兼通文史,文學不過治史的手段,因而見異多於求同,論述多由具體而一般,治一字即一部文化史。他強調研究歷史「要特別注意古人的言論和行事」,

73 章太炎:《救學弊論》,《華國月刊》第1卷第12期,1924年8月15日。

74 楊聯陞:《陳寅恪先生隋唐史第一講筆記》,《清華校友通訊》1970年4月29日。

75 王鍾翰:《陳寅恪先生雜憶》,《紀念陳寅恪教授國際學術討論會文集》,第52頁。

「言，如詩文等，研究其為什麼發此言，與當時社會生活、社會制度有什麼關係」；「事，即行，行動，研究其行動與當時制度的關係。」[76]關於上古思想史，他主張「對於古人之學說，應具瞭解之同情」，「蓋古人著書立說，皆有所為而發。故其所處之環境，所受之背景，非完全明瞭，則其學說不易評論」。「所謂真瞭解者，必神遊冥想，與立說之古人，處於同一境界，而對於其持論所以不得不如是之苦心孤詣，表一種之同情，始能批評其學說之是非得失，而無隔閡膚廓之論。」[77]關於中古制度史，則強調不僅要研究制度的組織，更要研究制度的施行，「研究制度對當時行動的影響，和當時人行動對於制度的影響」。「因為寫在紙上的東西不一定就是現實的東西。研究制度史不能只看條文，必須考察條文在實際生活中作用。」[78]

陳寅恪關於民族文化史的這一套治學理念與方法的應用，相當程度上受到史料留存狀況的制約。上古史料遺存僅為最小之一部，欲藉此殘餘斷片，以窺測其全部結構，必須瞭解同情。「但此種同情之態度，最易流於穿鑿傅會之惡習。」[79]所以他於群經諸子心得雖多，也不惜束之高閣。至於中古史方面，由於民族文化精華所在，加上資料詳略程度的限制，主要追究制度文化以及社會風尚的常情與變態。關於明清以降的近代史，陳寅恪雖然實際負有研究之責，在相當長的時期內成果並不多見。只是他對當時上古和近代史的研究狀況顯然相當不滿，針對「民國早期學人往往治古代史兼治明清近代史，截取兩頭」[80]的現象，他曾經評論其業績道：「近年中國古代及近代史料發見

---

76 蔣天樞《陳寅恪先生編年事輯》增訂本引卞僧慧文《懷念陳寅恪先生》，上海古籍出版社1997年版，第97頁。

77 《馮友蘭中國哲學史上冊審查報告》，《陳寅恪史學論文集》，第507頁。

78 蔣天樞《陳寅恪先生編年事輯》增訂本引卞僧慧文《懷念陳寅恪先生》，第97頁。

79 《馮友蘭中國哲學史上冊審查報告》，《陳寅恪史學論文集》，第507頁。

80 嚴耕望：《治史答問》，臺北，商務印書館1995年版，第23頁。

雖多，而具有統系與不涉傅會之整理，猶待今後之努力。」[81]

陳寅恪晚年的歷史研究，伴隨著時段由中古下移到近世，「業已從以制度文化為重點的廣義文化史研究，轉向心靈歷史的研究。這就是以『以詩證史』的面貌出現的對一個時代的情感與思潮的關注」[82]。這一轉變，一方面延續治中古制度文化史對於社會常情與變態的關注，另一方面，由於近世史料的極大豐富，可以進一步深入個人心境。儘管因為環境的限制，他很難談及個人的治學理念與方法，卻將精神主旨貫穿於《柳如是別傳》等著述之中，以此檢驗自己的學識，希望後人為之總結張大。晚近史料遺存豐富，其難在搜集完整，如治上古、中古史的辨真偽、求大概，的確不難。但陳寅恪將實事求是引向以實證虛，所論證的不僅在社會常情與變態，而且與個人心境相溝通，由典型代表人物的具體殊境而非由制度與現實的差異來考察時代精神與情感；不僅描述外在的行為，而且揭示內在的思維；不僅通過神遊冥想達到瞭解同情，而是經由剖析具體背景、原因、交遊等相關聯繫因素切實進入瞭解同情的境界；不僅分辨史料表面的真偽，而且力透紙背，揭示相關人事「放大真跡」的潛因與程度，從真相中發掘出實意。

以實證虛的特例，為其指「紀曉嵐之批評古人詩集，輒加塗抹，詆為不通。初怪其何以狂妄至是，後讀清高宗御製詩集，頗疑其有時為而發。此事固難證明，或亦間接與時代性有關，斯又利用材料之別一例也。」[83]此事對於一般史家，過於虛懸，功力見識不足，容易流

---

81 《吾國學術之現狀及清華之職責》，《金明館叢稿二編》，第317-318頁。

82 姜伯勤：《陳寅恪先生與心史研究——讀柳如是別傳》，胡守為主編：《柳如是別傳與國學研究——紀念陳寅恪教授學術討論會論文集》，浙江人民出版社1995年版，第93頁。

83 《馮友蘭中國哲學史上冊審查報告》，《陳寅恪史學論文集》，第508-509頁。

於穿鑿附會，因而主張慎用[84]。陳寅恪晚年論清代及近代史，常常能用此技。近代史料與史事的豐富複雜表明，歷史的真偽虛實往往相對而言，真事的表象不一定反映實情，而實情又沒有直接材料可證。個人感情支配下的真跡放大，常常只是偏而非偽。求真的過程即將各方面的偏頗融會貫通，以求同時接近事實真相併與相關各人的心路歷程合轍。陳寅恪雖然直到晚年才將其方法展現於明清史的著述，此前已顯現端倪。他熟讀經史百家及域外語言文字，尤好宋以下集部，「至於清末民初之舊聞掌故，尤了若指掌，如數家珍」[85]，因而於解今典即作者當日之時事具有超凡功力。由於史料的詳略不同，從中可以探求的史實深淺粗細不一，其方法用於近代史，實際上還有廣闊的拓展空間。

今人治近代史，常有一絕大誤會，以為近代史料較上古中古易於

---

84 嚴耕望認為：「論者每謂，陳寅恪現實考證史事，『能以小見大』。……此種方法似乎較為省力，但要有天分與極深學力，不是一般人都能運用，而且容易出毛病。」主張用人人都可以做到的「聚小為大」之法，即「聚集許多似乎不相干的瑣碎材料、瑣小事例，加以整理、組織，使其系統化，講出一個大問題，大結論。」（《治史經驗談》，臺北，商務印書館1997年版，第94頁）他還以陳垣、陳寅恪為例，談及考證學的述證與辯證兩類別、兩層次。「述證的論著只要歷舉具體史料，加以貫串，使史事真相適當的顯露出來。此法最重史料搜集之詳贍，與史料比次之縝密，再加以精心組織，能於紛繁中見條理，得出前所未知的新結論。辯證的論著，重在運用史料，作曲折委蛇的辨析，以達成自己所透視所理解的新結論。此種論文較深刻，亦較難寫。考證方法雖有此兩類別、兩層次，但名家論著通常皆兼備此兩方面，惟亦各有所側重。寅恪先生的歷史考證側重後者，往往分析入微，證成新解，故其文勝處往往光輝燦然，令人歎不可及。但亦往往不免有過分強調別解之病，學者只當取其意境，不可一意追摩仿學；淺學之士若一意追摩，更可能有走火入魔的危險。援庵先生長於前者，故最重視史料搜集，至以『竭澤而漁』相比況。故往往能得世所罕見，無人用過的史料，做出輝煌的成績，……前輩學人成績之無懈可擊，未有逾於先生者。其重要論著，不但都能給讀者增加若干嶄新的歷史知識，而且亦易於追摩仿學。」（《治史答問》，臺北，商務印書館1995年版，第85-86頁）
85 王鍾翰：《陳寅恪先生雜憶》，《紀念陳寅恪教授國際學術討論會文集》，第53頁。

解讀。受此影響，加上簡單挪用「社會科學方法」作祟，往往觀念先行，將讀懂的部分孤立抽出，按照先入為主的框架，拼湊成一定的解釋系統。未讀懂或讀不懂的部分則棄置不顧，歷史本來的聯繫被人為割裂，結果言論越系統，距離事實真相越遠。其實近代史料浩如煙海，大量私函密札日記檔案留存，又很少經人注解，讀懂絕非易事。所以1931年陳寅恪為紀念清華20週年所寫的《吾國學術之現狀及清華之職責》稱：

> 「近年中國古代及近代史料發見雖多，而具有統系與不涉傅會之整理，猶待今後之努力。」

關於近代史料的難解，法國近代史家巴斯蒂有深切的體驗。她於1960年代留學北京大學，師從曾擔任陳寅恪助手的陳慶華教授，對於後者的淵博學識十分欽佩。後來她追憶道：

> 「在他幫助我解讀張謇著作的時候，每遇到經書方面的引文，有關政治上和文學上的諷喻警句，或者涉及到風俗習慣、地方上特殊的生活環境，或者書中隱晦難懂之處時，他總是能夠當場點明出處，引用各種有價值的資料，逐句逐行地予以解釋。張謇著作中提到大量人物，多數只寫了他們的室號或別號，但陳先生卻瞭解他們每一個人。對於他來說，這些人好像是他的一群朋友，關於他們的生活經歷，他們的親屬關係，以及他們的子孫後代，他都能詳細列舉，如數家珍。」[86]

---

86 瑪麗昂娜‧巴斯蒂著，張富強、趙軍譯：《清末赴歐的留學生們──福州船政局引進近代技術的前前後後》，中南地區辛亥革命史研究會、武昌辛亥革命研究中心編：《辛亥革命史叢刊》第8輯，北京，中華書局1991年版，第190頁。

　　巴斯蒂教授體會到的困難，不僅對於外國學者，許多認真的中國學人也會感同身受。

　　陳寅恪關於近代史，既把握源流大勢，又深悉具體史實，二者相輔相成。所解決的史料難題，較弟子更能深入一層。其唯一的近代史研究生石泉憶及：「陳師由於熟悉晚清掌故，對於現今保存的當時士大夫之間私函中透露機密情報所用的隱語，往往一語猜透，使迷茫難解的材料頓時明朗，成為關鍵性史料。」如聽石泉讀張佩綸甲申變局前致張之洞密函中有「僧道相爭」和「僧禮佛甚勤」，即指出僧當指醇王，字樸庵；道指恭王，號樂道堂主；佛指太后，得以佐證當時恭、醇兩王矛盾及太后與醇王密謀。又斷定翁同龢致張謇書中「封豕誠可以易長庚」的封豕指劉姓，長庚則是李，參照翁的日記，知張謇曾建議以湘軍首領劉錦棠取代李鴻章為直隸總督。實則今典與古典並用，方能破解。

　　此類人事個案經過認真研究，逐漸勘破亦非難事，但要熟、廣、深，則專家亦稱棘手。陳寅恪後來引吳永《庚子西狩叢談》李鴻章語，知所指為張之洞，並指出吳永為張隱諱的原因，更是環環相連，絲絲入扣。相似的例證還有1933年張蔭麟撰文稱龔自珍作於道光二年（1822）的「漢朝儒生行」詩中的某將軍指岳鍾琪，陳寅恪閱後，託人轉告「所詠實楊芳事」。此一轉折關係，張蔭麟前此全未涉想及之，思考再三，才「確信此詩乃借岳鍾琪事以諷楊芳而獻於楊者」[87]。

　　陳寅恪對黃濬的《花隨人聖庵摭憶》評價甚高，認為「援引廣博，論斷精確，近來談清代掌故諸著作中，實稱上品」[88]，反對因人廢言，除了黃關於近代內政外交的見解與其多有不謀而合處外，原因

87　張蔭麟：1934年3月7日《與陳寅恪論漢朝儒生行書》，《燕京學報》第15期，1934年6月。

88　《寒柳堂記夢未定稿》，《寒柳堂集》，第170頁。

之一，當是黃也往往能破解隱語，看出材料背後的人事關係。陳的弟
子認為：

> 「寅恪師史學之所以精深，在對隱曲性史料的發掘與闡發，開
> 拓史學園地。蓋史料向來有直筆、曲筆、隱筆之別，一般史家
> 率多直筆史料的述證，限於搜集、排比、綜合，雖能以量多見
> 長，以著作等身自負，但因昧於史料的隱曲面，其實只見其
> 表，未見其裏。有時難免隔靴搔癢之譏。惟寅恪師於人所常見
> 之史料中，發覺其隱曲面，……遂使人對常見的史料，發生化
> 臭腐為神奇之感，不僅提供新史料，亦且指點新方法，實為難
> 能罕有之事。」

這些方法最值得引申運用的領域，主要也是清代乃至近代文史之
學[89]。陳寅恪的功夫見識，專治近代史者固然難以企及，但雖不能
至，心嚮往之，治學應當取法乎上。否則，順從時流，用力愈大，距
離這種境界愈是南轅北轍。長此以往，近代史研究量的膨脹的表面繁
榮之下，必然以質的降低為犧牲，學人發展學術的努力，將適得其反
地導致學術品位的變異和水準的下降。

史料愈近愈繁，但性質各異，詳略有別，研究對象不同，所據史
料的主次位置當有所變化。陳寅恪於此把握最為貼切，如認為治古史
必須瞭解群經諸史等多數匯集之資料，才能考釋金文石刻等少數脫離
之片斷。[90]治中古及近世歷史在熟悉史書的前提下，重視詩文及禹內
域外新出史料。每治一事，必能依據材料的優劣詳略，物盡其用。治
政治史應以《通鑒》為主，《紀事本末》為輔，典章制度史則《通

---

89 翁同文：《追念陳寅恪師》，《紀念陳寅恪先生百年誕辰學術論文集》，第61-62頁。
90 《楊樹達積微居小學金石論叢續稿序》，《金明館叢稿二編》，第230頁。

典》價值在《通考》之上，詩文互證選取元白為對象，均有關於史料與人事關係的深意在。與此相較，今人治近代史往往不能分別所研究問題與所依據史料的關係，取捨失當。如研究問題跨越整個清代，雖問題相同，但前期、中葉及晚清史料類型的主次當有所分別。治晚清史事，舍日記、函札、報刊、檔案而專就文集、年譜、筆記中披沙揀金，不僅舍近求遠，甚至緣木求魚。即使同為晚清的同類人事，所據史料的類型主次也不一致，或重日記、函札，或需檔案，或賴報刊，須依據史料與史事的具體關係而定。想當然而然，正是由於不熟史料，不通史實。

　　如此一來，因上古、中古與近代史料遺留的樣態不同，各時期的史學相應有所變化。一時段的歷史研究，如有大師級人物開闢正軌，樹立高的，後來人仿而行之，則易於更上層樓。此類人物對於此一領域學術發展的品質，常常具有決定性作用，制約來者的眼界與見識。近代學者多治上古而兼及近代，以治上古史之方法標準治近代史，難免流於粗疏，因為在史料繁密程度大為增強的後一領域中達到如上古史的精細程度，並非難事。梁啟超與胡適因而不免誤解。史學二陳棄上古而專注於中古以降，使相關研究逐漸取得與經過三百年清學錘鍊的上古經史並駕齊驅甚至越而上之的成就。但就近代史而言，豐富的史料遺存使得研究不僅可以徵實，更能以實證虛。相比之下，陳垣的述證法切實而重功夫，可憑後天努力；陳寅恪的辯證法精深而須卓識，需要極高天分和機緣，難以把握。融合二者的方法治近代史，方能窮盡史料之用，而免於鑿空附會之弊，使得該領域的研究與古史的程度相匹配，與史料的豐富相吻合。因此，宣稱不治晚清史的陳寅恪，其治學及方法反而為發展近代史研究指示了重要軌則，值得認真揣摩和謹慎仿傚。

第八章
陳垣與國際漢學界
── 以與伯希和的交往為中心

　　伯希和為20世紀前半葉國際漢學界祭酒，陳垣則是中國「近百年來橫絕一世」的「當世史學鉅子」[1]，兩人年齡相仿（伯希和長兩歲），治學領域相通，風格興趣復相近，彼此文字結緣，又幾度聚首，惺惺相惜，其中透露近代中外學術交流史的不少信息。關於兩人交往的情形，前此已經有所論及。[2]進一步披撿史料，似還有深究申論的必要。

一　獨吾陳君

　　陳智超編注《陳垣來往書信集》錄有1933年4月27日尹炎武致陳垣函，中謂：

> 「今月十五，伯希禾翁回國，我公與適之、聖章、叔琦、貝大夫諸君到站送行。臨發，伯翁謂人曰：『中國近代之世界學者，惟王國維及陳先生兩人。』不幸國維死矣，魯殿靈光，長受士人之愛護者，獨吾陳君也。在平四月，遍見故國遺老及當

1　陳智超編注：《陳垣來往書信集》，第99頁。
2　見拙文：《伯希和與中國學術界》，《歷史研究》1997年第5期。另參牛潤珍著：《陳垣學術思想評傳》，北京圖書館出版社1999年版，第290頁。

代勝流，而少所許可，乃心悅誠服，矢口不移，必以執事為首屆一指。」[3]

　　或以此事在胡適日記書信等文字中毫無蛛絲馬跡，疑為子虛烏有。復因文氣稍滯，可揣度為尹炎武的私意，所以值得仔細辯證。

　　是函標點似可略作調整，並疑有脫字（作、編者均有可能），伯希和語的引號，至少應移到「獨吾陳君也」之後。該書信集收錄尹炎武致陳垣函83通，均稱「師」、「老」、「公」、「先生」，以其身份，當不會妄呼「陳君」，亦不至於稱年長12歲、學術界群相敬重的王國維為「國維」。以情理度之，此言當出自與王國維年齡相仿（伯氏只小1歲）、地位相當，且不會嚴守中華禮法的伯希和之口。所以接下來的一句，也應是伯希和的意思。這從尹、伯二人與陳垣的關係以及在此前後各自的行蹤可以證明。

　　尹炎武，字石公，江蘇丹徒人，生於1889年，小陳垣9歲，他先後任教於北京農專、北京大學、輔仁大學和中法大學。1922年5月，由吳承仕發議，尹炎武、朱師轍、程炎震、洪汝閩、邵瑞彭、楊樹達、孫人和等8人假座北京的歙縣會館結成「思誤社」，每兩周會集一次，主要校訂古書，以養成學術風氣。後改名「思辨」，陸續加入者有陳垣、高步瀛、陳世宜、席啟駉、邵章、徐鴻寶、孟森、黃節、倫明、譚祖任、張爾田等人。[4]陳垣交遊甚廣，左右逢源，思辨社成員與之交誼尤為深遠。譚祖任加入思辨社後，該社的輪集改到位於豐盛胡同的譚宅聊園舉行。[5]後來尹炎武離京，「每念高齋促膝，娓娓雅

3　陳智超編注：《陳垣來往書信集》，第96頁。

4　楊樹達：《積微翁回憶錄》，第17頁；陳智超編注：《陳垣來往書信集》，第130-131頁。

5　1962年尹炎武致函陳垣所寄詩中有「若問聊園思辨社，空餘惆悵望江南」句。譚字篆卿，號聊園居士（陳智超編注：《陳垣來往書信集》，第131、104頁）。

譚，風月聊園，沉沉清夜，未嘗不極目蒼茫，精神飛越。南北相望，想同之也。夫以博雅閎深之學，精密湛邃之思，肴和百家，委懷乙部，冷交易集，起冬至而消寒，版本搜奇，汲修緪之供給。左攬績溪之奇佚，右瞰藏園之珍秘，真率五簋，高談娛心，橫議華筵，抵掌快意，此情此景，寤寐不忘。」[6]

　　1932年底伯希和經香港、上海到訪北平，陳垣等人假座聊園，以頗負時名的譚家粵菜款待異國同好。[7]事前由陳垣出面，函邀各人，中國社會科學院近代史研究所藏胡適來往書信，有陳垣致胡適函一通：

> 「適之先生撰席：
> 豐盛胡同譚宅之菜，在廣東人間頗負時名，久欲約先生一試。明午之局有伯希和、陳寅恪及柯鳳蓀、楊雪橋諸先生，務請蒞臨一敘為幸。主人為玉笙先生之孫、叔裕先生宗濬之子，亦能詩詞、精鑒賞也。專此，即頌晚安。弟垣謹上。十三晚。」

　　該函收入中國社會科學院近代史研究所民國史組編《胡適來往書信選》下冊（中華書局1980年版），置於年份不明類的1946-1948年間，編者注明「此信時間無可考」。陳智超編輯《陳垣來往書信集》，

6　陳智超編注：《陳垣來往書信集》，第103頁。
7　譚家菜為北京遐邇聞名的家庭菜。譚祖任為學海堂學長譚瑩之孫，其父譚宗濬同治十三年榜眼，授編修，曾任四川學政，雲南鹽法道。譚家歷來講究膳食，曾重金聘請各地名廚。其女主人郭麗鳳博取眾長，與粵菜結合，自成一格，海味尤勝各大飯莊，但並不對外營業，只供親朋好友相互宴請。學界公宴，則客人地位必尊。如1932年4月6日陳垣、尹炎武、倫明、余嘉錫、楊樹達等宴請章太炎，即在譚宅用粵菜（楊樹達：《積微翁回憶錄》，第62頁）。據袁祥輔《漫談譚家菜》（中國人民政治協商會議會議北京市委員會文史資料研究委員會編：《文史資料選編》，第24輯，北京出版社1985年版），譚家菜原址在米市胡同47號，廣東南海會館旁一小院。

判定為1933年初。拙文《胡適與國際漢學界》[8]斷為1933年1月13日，
並據以認為胡適應邀出席了宴會。實則胡適未能出席，時間判定亦不
免武斷。中山大學陳寅恪紀念館藏有「聊園春讌」照片一幀，署明為
1933年攝，當為此次聚會的留真。照片曾經陸建東《陳寅恪的最後20
年》揭載，[9]但較模糊，且僅指出伯希和、陳垣、陳寅恪等3人。據原
片題識，出席者為：前排（自左至右）：陶蘭泉（涉園，武進人）、楊
鍾羲、伯希和、柯劭忞、孟森；後排：譚瑑青、朱叔琦、楊心如、陳
寅恪、尹石公、陳援庵。則尹炎武亦為親與其事的陪客，或者此次宴
請即由思辨社作東。

宴會後，尹炎武離京南下河南，其4月27日來函，是他「到汴四
五十日」後寫給陳垣的第一封信。因尹離京的具體時間不詳，雖然照
情理宴請伯希和應在1月內，亦不能絕對排除2、3月的可能性。尹炎
武未能親予送行之事，有關情形當得自在京的思辨社友或其它知己。
參與「聊園春讌」的朱叔琦，即在送行之列。

「在平四月，遍見故國遺老及當代勝流」，與此次伯希和來華的
活動相吻合。早在1932年10月，中國的報刊即報導：

> 「據可靠消息，法國漢學大家伯希和氏不日東遊，先至安南，
> 然後經香港、上海至北平。在安南居留較久，香港、上海並不
> 久留，而在北平則亦須勾留多日雲。」[10]

8　《近代史研究》1999年第1期。另見《國學與漢學——近代中外學界交往錄》第5
章，浙江人民出版社1999年版。

9　陸建東：《陳寅恪的最後20年》，北京，生活・讀書・新知三聯書店1995年版，第
518頁。

10　《法國漢學家伯希和將來平》，國立北平圖書館編：《讀書月刊》第2卷第2號，1932
年11月10日。

　　其目的是調查近年中國文史學的發展，並為巴黎大學中國學院採購普通應用書籍。伯氏於1932年底到達北平，「法國公使館為歡迎介紹柏氏起見，特於新年除夕前一日午後一時，在該使館大樓，邀中法名流，作盛大歡宴」[11]。在平期間，伯希和除研究考察中國古跡及美術外，並參觀各著名學術機關，如國立北平圖書館、燕京大學、輔仁大學等。2月10日、24日，先後在燕京大學等處演講《在華西方畫家》（Western Painters in China）和新疆考古，[12]受到各方面的熱烈歡迎。

　　法國公使館以外，《北平晨報》館、中央研究院歷史語言研究所、輔仁大學及北平學者名流，陸續有歡迎伯氏的宴會。在各種公私宴會上，伯希和會見了北平的眾多耆宿新進。如1932年12月31日法國公使館宴會上，中方「到會者有前教長傅增湘、蔣夢麟、翁文灝、李書華，暨學術界名流胡適、沈兼士、馬衡、袁同禮、梅貽琦、李蒸、張星烺、李宗侗、黃文弼等五十餘人。主人法公使韋禮德，席間招待，至為殷勤。推傅增湘首座，操簡單華語應酬。旋以法語致辭，介紹柏希和，希望中法學術互相答謝。客主之情，極為歡暢，一時之盛，數年未有，久為促進中法文化至可紀念之嘉會也。柏氏操華語甚流利，與傅增湘互道舊情，相與大笑。」[13]1933年1月10日歷史語言研究所在歐美同學會舉行公宴，「除該所研究員、特約研究員等皆到

11　《東方學家柏希和抵華　北平中法學者聯歡》，《國立中山大學文史學研究所月刊》第1卷第1期，1933年1月。關於伯氏來華時間，一些資料看似為1933年初，如陳垣寫成於1933年12月的《〈元秘史〉譯音用字考》稱：「今年春，伯希和教授來游」（陳樂素、陳智超編校：《陳垣史學論著選》，上海人民出版社1981年版，第358頁）。實則應為上年末。1933年《北平晨報》報導亦稱：「法國漢學家伯希和氏自去年抵平」（《法國漢學家伯希和氏星期五在燕大講演》，《北平晨報》1933年2月9日）。

12　朱喬森編：《朱自清全集》第9卷日記編，第195、200頁。

13　《東方學家柏希和抵華　北平中法學者聯歡》，《國立中山大學文史學研究所月刊》第1卷第1期，1933年1月。

外，並請北平研究院李聖章、李潤章，故宮博物院李玄伯，北大陳受頤、羅庸，清華馮友蘭、蔣廷黻、黎東方，燕京許地山，輔仁余嘉錫，北平圖書館袁同禮、徐森玉、劉節、謝國楨、孫楷第，營造學社梁思成，西北科學考察團袁復禮、黃仲梁諸氏作陪。」[14]1月21日輔仁大學宴請，「陪賓有法公使及傅增湘、胡適、劉復等，與本校重要教職員。」[15]2月11日留法的王了一私宴，「在座有羅莘田、王以中、劉子哲、王靜如、李桂芳、劉半農、黎錦熙、馮芝生、葉石蓀、劉盼遂、浦江清等，多一時之彥。」[16]幾乎囊括北平故都的新舊學人。

按照原定計劃，伯希和在北平的活動到2月底結束，3月初赴日本，[17]後因故推遲到3月中旬，擬在東京舉行四次講演，講題分別為：1、古代中國與西方的交通。2、中國的外來諸宗教。3、東土耳其斯坦的考古學研究。4、關於蒙古史諸問題。[18]不過，儘管伯希和一再延期，東遊計劃最終還是不得不放棄。個中原因，一是伯氏本人的自覺，二是中國學人的情緒。「九一八事變」後，日本加緊侵華行動，激發中國學人的抗日熱忱，也引起國際同仁的義憤。伯氏雖然事先有訪日計劃，但當傅斯年問其「遊中國後將至日本否？」

「伯君云：『日本固多吾之友，日本近來東方學工作固有可觀，吾此次東來，日本固請吾順道一遊。然自瀋陽事變之後，日本人之行

---

14 《法國漢學家伯希和蒞平》，《北平晨報》1933年1月15日。

15 《輔大歡宴伯希和》，《北平晨報》1933年1月22日。

16 朱喬森編：《朱自清全集》第9卷日記編，第195頁。李桂芳似應為李方桂。

17 伯希和早有訪日打算，1931年11月26日，他致函京都大學羽田亨教授，告以預定明年初訪日的計劃不得不延期（《我が國の東方學とペリォ教授》，《羽田博士史學論文集》，京都大學東洋史研究會1958年版，第634頁）。以後又有傳聞說其1932年秋經中國訪問日本（《ペリォ氏の來朝》，《史學雜誌》第44編第1號，1933年1月10日）。

18 《ペリォ氏》，《史學雜誌》第44編第3號，1933年3月10日。此消息稱：伯氏原來預定3月1日到東京，但據報3月10日前不能離開北平，約於3月中旬抵東京。

為為吾甚不滿，不欲於此時見之也。」吾繼叩以將往大連晤羅振玉否。伯君答云：『吾亦不欲見之。』果然海道來，海道往，未經日本及東北。」[19]

傅斯年是有名的「義和團學者」，民族情緒極強，所問對於伯希和亦有壓力。如此一來，伯氏在華滯留便持續到4月中旬。陳垣等人前往車站送行，當在情理之中，而胡適避而不提此事，則另有難以喧諸於口的原因。

二　海內公意

作為執掌國際漢學界牛耳的一代宗師，伯希和絕不輕易讚譽同道學人。儘管他曾經說「李濟、顧頡剛等皆中國第一流學者」，被不以一味考據為然的吳宓認為「殊無辨擇之能力也矣」[20]，內心真正佩服的中國學者還是同輩的王國維和陳垣。所謂「在平四月，遍見故國遺老及當代勝流，而少所許可，乃心悅誠服，矢口不移，必以執事為首屈一指」，確是伯希和心口相應的寫照，而非尹炎武的成見或諛詞。所見「故國遺老」，如柯劭忞、傅增湘、楊鍾羲、陶湘等，雖是舊學大家，在伯氏眼中不免於溫故而不知新的「庸」。如柯劭忞的《新元史》，曾為他贏取素稱難得的日本帝國大學文學博士的桂冠，伯希和在承認「有關係的材料不少」的同時，指出其「錯誤很多」[21]。

「當代勝流」之中，剛獲得普魯士國家學院哲學史學部通訊會員資格、又與伯氏相識的胡適，「暴得大名」十餘年，早已是中國學術界

19 傅斯年：《伯希和教授》，《傅斯年全集》第7冊，第2350頁。
20 吳宓著、吳學昭整理注釋：《吳宓日記》第5冊，第196頁。
21 伯希和：《庫蠻》，馮承鈞譯：《西域南海史地考證譯叢》第1卷，北京，商務印書館1995年版，第2編第4頁。

一言九鼎的領袖人物，伯希和卻似乎故意視而不見。據梁宗岱回憶：

> 「三十年代初北平一次熱鬧的宴會上，聚當時舊都名流學者於
> 一堂，濟濟蹌蹌，為的歡迎著名漢學家、東方學家法國伯希和
> 教授。除伯希和外，參加者還有其它歐美人士，因此交談語言
> 有中法英三種，我躬逢其盛，擔任義務口譯。席上有人問伯希
> 和：『當今中國的歷史學界，你以為誰是最高的權威？』伯希
> 和不假思索地回答：『我以為應推陳垣先生。』我照話直譯。
> 頻頻舉杯、滿面春風的胡適把臉一沉，不言不笑，與剛才判若
> 兩人。一個同席的朋友對我說：『胡適生氣了，伯希和的話相
> 當肯定，你也譯得夠直截了當的，胡適如何受得了，說不定他
> 會遷怒於你呢。』這位朋友確有見地，他的話應驗了。我和胡
> 適從此相互間意見越來越多」[22]。

　　胡適獲得普魯士國家學院哲學史學部通訊會員，與德國漢學大家
福蘭克（Otto Franke）密切相關。而伯希和對德國漢學的成就評價不
高。1926年10月26日，他在法蘭克福中國學院演講時，公開批評「德
國科學甚發達，而『中國學』殊不如人。」[23]福氏治學，有好博不專
之名，這一看法與中國學者不謀而合。中研院歷史語言研究所成立
後，聘請伯希和及德國的米勒（F.W.K.Müller）、瑞典的高本漢
（Bernard Karlgren）為外國通信員。1930年米勒去世，有人建議聘請
福蘭克，陳寅恪反對說：「據其研究中國史之成績言，則疑將以此影

22　戴鎦齡：《梁宗岱與胡適的不和》，趙白生編：《中國文化名人畫名家》，中央編譯出
　　版社1995年版，第413-414頁。
23　《胡適日記》手稿本，1926年10月26日。

響外界誤會吾輩學術趨向及標準。」[24]能夠從相當水準上有此認識的外界，伯希和無疑首屈一指。

　　另一位中國學術界的重鎮是新舊各方公認的讀書種子陳寅恪，他亦與伯氏有過交往，留歐期間，由王國維介紹，登門拜訪過伯希和。[25]陳垣欲與伯希和聯繫，還找陳寅恪索取通信地址。[26]1931年吳宓在巴黎拜會伯希和，開始並不投機，「彼乃一考據家，又頗有美國人習氣。迨宓述王國維先生及陳寅恪君之名，又自陳為《學衡》及《大公報文學副刊》編輯，對宓始改容為禮。」[27]則伯氏對陳寅恪不無印象。不過，陳寅恪當時的著述主要追尋歐洲東方學的路徑，欲以新材料研究新問題，以預世界學術之新潮流。[28]而這方面雖然在國內足以傲視群雄，卻不易領先於異國同道。目前所見伯希和對陳寅恪的明確肯定，是1930年代末推薦其擔任牛津大學的中國學教授一職。伯氏認為：「陳先生能以批判性的方法並利用各種不同文字的史料從事他的研究，是一位最優秀的中國學者。」[29]

---

24 歷史語言研究所檔案元字4號之35，引自杜正勝：《無中生有的志業——傅斯年的史學革命與史語所的創立》，《中央研究院歷史語言研究所七十週年紀念文集：新學術之路》，第29頁。

25 《王觀堂先生挽詞並序》，《寒柳堂集・寅恪先生詩存》，第9頁。

26 陳智超編注：《陳垣來往書信集》，第375頁。

27 吳宓著、吳學昭整理注釋：《吳宓日記》第5冊，第196頁。關於吳宓拜訪伯希和事，1992年清華大學出版社出版的吳學昭著《吳宓與陳寅恪》所引吳宓日記，與後來的正式版本有不少差別，如兩人談到《學衡》雜誌，「彼疑《學衡》已停，宓告以未。」「又言及靜安先生及陳寅恪兄，彼對宓乃敬禮有加，然彼之功夫，純屬有形的研究，難以言精神文藝」；「末後，彼詢寅恪兄住址，宓具以告」。文字與日記出入甚大，有的內容日記根本沒有。見面時間，日記為1931年2月24日，《吳宓與陳寅恪》則為2月25日。

28 《陳垣敦煌劫餘錄序》，《陳寅恪史學論文選集》，第503頁。原載1930年《歷史語言研究所集刊》第1本第2分。

29 牛津大學檔案，CP/1，File 1，見程美寶：《陳寅恪與牛津大學》，《歷史研究》2000年第3期。

伯希和此行就中國學術界所作評點對於陳寅恪的學術轉向似有潛在的影響作用。關於國際學術界對陳垣學術成就的看法，1930年陳寅恪為《敦煌劫餘錄》作序，只是泛泛論道：「新會陳援庵先生垣，往歲嘗取敦煌所出摩尼教經，以考證宗教史。其書精博，世皆讀而知之矣。」[30]1935年為陳垣重刻《元西域人華化考》作序，即明確指出：「近二十年來，國人內感民族文化之衰頹，外受世界思潮之激蕩，其論史之作，漸能脫除清代經師之舊染，有以合於今日史學之真諦，而新會陳援庵先生之書，尤為中外學人所推服。」[31]此即為實事，而非泛指，其間伯希和的評點應是所依據的本事。

1942年，陳寅恪為朱延豐《突厥通考》作序，公開聲稱：「寅恪平生治學，不甘逐隊隨人，而為牛後。年來自審所知，實限於禹域以內，故僅守老氏損之又損之義，捐棄故技。凡塞表殊族之史事，不復敢上下議論於其間。」[32]所以要「捐棄故技」，回到禹域之內，客觀條件限制外，以伯希和為代表的國際漢學界的態度當起重要作用。

伯希和的看法與中國學人的公意不謀而合。有人引述：「記得傅斯年說過，中國有兩個世界型學者。他所說的兩個學者，一個是王國維，另一個就是陳垣。」[33]這一從意思到用詞幾乎與伯希和完全相同的評語，顯然並非單純模仿後者而來。1928年，傅斯年為籌建中研院歷史語言研究所事致函陳垣，以陳與王國維相比，稱頌：「靜庵先生馳譽海東於前，先生鷹揚河朔於後，二十年來承先啟後，負荷世業，俾異國學者莫敢我輕，後生之世得其承受，為幸何極！」[34]此言出自

30 《陳垣敦煌劫餘錄序》，《陳寅恪史學論文選集》，第503頁。
31 《陳垣元西域人華化考序》，《陳寅恪史學論文選集》，第506頁。
32 《朱延豐突厥通考序》，《陳寅恪史學論文選集》，第513頁。
33 饒芃子：《學者在呼喚『陳垣學』》，暨南大學編：《陳垣教授誕生百一十週年紀念文集》，廣州，暨南大學出版社1994年版，第3頁。
34 《中央研究院歷史語言研究所檔案》元字109號之1，引自杜正勝：《無中生有的志

心高氣傲的傅斯年，的確是發自內心。

　　1932年初，孫楷第致函陳垣，試為蠡測品類宇內名流，認為「今之享大名者名雖偶同，而所以名者則大有逕庭，其間相去蓋不可以道里計也。」他分別時賢為三類，一為時勢造英雄，「偶因時會，奮起昌言，應社會之須要，有卓特之至論，風聲既播，名價遂重，一字足以定毀譽，一言足以論高下。雖時過境遷，餘威猶在。既婦孺之盡知，亦無施而不宜。」一為淵源有自，「關閩不同，揚劉異趣，都分門戶，盡有師承，人慕桓榮之稽古，士歸郭太之品題，學利可收，清譽易致。」一為博辯多識，「鑒古今之源流，知中外之旨歸，學非一途，業有多方。著書立說，亦能提挈綱領，務去陳言。規模既鉅集，眾望所歸。為當代之聞人，有激揚之令譽。」前者當指胡適新派，其次則章門弟子，最後似為陳寅恪。「綜斯三途，雖成就不同，仕隱各異，然俱有赫赫之名，既負碩望，亦具威靈。足以景從多士，輻湊門閭；然而業有不純，實或未至，其一時之聲氣誠至煊赫，身後之品藻，或難免低昂。即以見今而論，亦隨他人所認識者不同，而異其品目，此可謂一時之俊，未可謂百代之英也。」

　　在孫楷第看來，「名浮於實者一時而已，實浮於名者則百世而下其名將益彰。後生小子所須要者為實浮於名之前輩，非名浮於實之前輩。凡夫庸流所震盪者為名浮於實之聞人，其實浮於名者，或不能盡知。一為社會的，一為真實的。」此意他曾向余嘉錫道及，並與王重民莫逆於心，均推崇陳垣「乃不藉他力，實至名歸，萃一生之精力，有悠厚之修養，……亦精亦博，亦高亦厚，使後生接之如挹千頃之陂，鑽彌堅之寶，得其片言足以受用，聆其一教足以感發」[35]。1934

業——傅斯年的史學革命與史語所的創立〉，《中央研究院歷史語言研究所七十週年紀念文集：新學術之路》，第34頁。

35 陳智超編注：《陳垣來往書信集》，第409-410頁。

年尹炎武在南京邂逅黃侃和朱希祖,「偶談及當世史學鉅子,近百年來橫絕一世者,實為門下一人,聞者無異辭。」[36]由此可見,公開以陳垣為中國學術首座,雖由伯希和一人之口宣示一己之見,卻一定程度上表達了中國學術界的公意。

三 漢學正統

伯希和來華十分推崇陳垣,但前此兩人只不過是文字之交,而且其間存在常人所謂過節。因此伯希和的評語除了就學術論學術的公道外,或許還包含對陳垣學行的敬重。

陳垣治學自稱是土法上馬,其實在西學壓倒中學以及胡適等人鼓吹科學方法的世風影響下,對於西洋漢學的治學方法歷來懷有景仰之心。而這種心境的另外一面,即蘊涵與國際漢學界的爭勝之意。近代中國,「生產落後,百業凋零,科學建設,方之異國,殆無足言;若乃一線未斬唯在學術。」[37]尤其是有關中國自身歷史文化的學術,漸為東西兩洋同道駕而上之,令不少中國學人引為奇恥。陳垣至少是其中感受最強、反彈最烈者之一。他曾對胡適說:「漢學正統此時在西京呢?還在巴黎?」兩人「相對歎氣,盼望十年之後也許可以在北京了!」[38]

自1920年代起,此話陳垣在不同場合對許多有志於學術的朋友門生反覆講過。1923年,北京大學研究所國學門在龍樹寺抱冰堂舉行懇親會,陳垣說:「現在中外學者談漢學,不是說巴黎如何,就是說日本如何,沒有提中國的。我們應當把漢學中心奪回中國,奪回北

---

36 陳智超編注:《陳垣來往書信集》,第99頁。
37 約1932年12月15日孫楷第來函,陳智超編注:《陳垣來往書信集》,第409頁。
38 《胡適日記》(手稿本)1931年9月14日。

京。」對在座的鄭天挺影響至深。[39]1928年，翁獨健在燕京大學一年級的課堂上聽到陳垣感慨地說：「今天漢學的中心在巴黎，日本人想把它搶到東京，我們要把它奪回到北京。」[40]1929年陳述聽陳垣在北師大講課，其間也特別談到：「近世國外研究漢學主要指中國歷史的中心在巴黎、在東京。我們要從法國、日本奪回來。中國史研究，我們不能落後於國外。」[41]陳垣的這一番話，對後來者影響巨大。他的許多學生及再傳弟子都響應其號召，在史學的各方面勤奮鑽研，以求接近、趕上或超過法國、日本。

　　仔細比較各人的記述，大同之下，存有小異。其一，陳垣心目中日本漢學研究的中心在東京還是京都（即西京）？胡適記為西京，而鄭、翁、陳均記為東京。依據當時情形，似以京都說更加近真。日本的中國學界，東京的「東洋學」派與京都的「支那學」派歷來不和，

---

39 鄭天挺：《五十自述》，《天津文史資料選輯》第28輯，天津人民出版社1984年版，第8頁。鄭天挺不止一次憶及此事，其《回憶陳援庵先生四事》稱：「一九二一年在北大的一次集會上，曾聽陳老師說過：現在中外學者談漢學，不是說巴黎如何，就是說東京如何，沒有提中國的。我們應當把漢學中心奪到中國，奪到北京。」時間明確而地點不詳。自述則指明地點在龍樹寺，因而有學者確定為1921年秋的國學門集會（牛潤珍：《陳垣學術思想評傳》，北京圖書館出版社1999年，第226頁）。但北大國學門成立於1921年11月，當年及次年均未舉行懇親會。其首屆懇親會舉辦於1923年9月30日，地點在龍樹寺抱冰堂。1924年6月15日舉行第二次懇親會，地點在宣外達智橋松筠庵。1925年第三次懇親會，在北海濠濮間（《本學門第三次懇親會紀事》，《北京大學研究所國學門周刊》第3期，1925年10月28日）。

40 《光明日報》1978年3月11日。此說的另一版本見翁獨健《我為什麼研究元史》：「大學一年級聽陳垣先生的課，課上談到十九世紀以來，有人標榜東方學、漢研究中心在巴黎，當時巴黎有幾個著名文學家，後來日本把漢學中心搶到東京去，當時日本研究的重點是蒙古史、元史。漢學中心在國外是我們很大的恥辱。陳先生鼓勵我們把它搶回北京來。」（牛潤珍：《陳垣學術思想評傳》，第310頁）

41 陳述：《回憶陳援庵老師的治學和教學——紀念陳援庵老師誕辰110週年》，《紀念陳垣校長誕生110週年學術論文集》，北京師範大學出版社1990年版，引自牛潤珍：《陳垣學術思想評傳》，第308頁。

治學途徑也有分別，前者重四裔，後者重本部。照陳寅恪的看法，「東京帝大一派，西學略佳，中文太差；西京一派，看中國史料能力較佳。」[42]其實他對東洋學派的西學亦不以為然。1936年1月30日他覆函陳述，就其詢問有關契丹史問題言及東洋學派的開山白鳥庫吉的學問，認為：

> 「白鳥之著作，一日人當時受西洋東方學影響必然之結果，其
> 所依據之原料、解釋，已緣時代學術進步發生問題。且日人於
> 此數種語言，尚無專門權威者，不過隨西人之後，稍採中國材
> 料補之而已。公今日著論，白鳥說若誤，可稍稍言及，不必多
> 費力也。」[43]

與陳垣關係最近的桑原騭藏，雖然治學方法接近東洋學派，畢竟是京都學派的要角。講蒙元史注重東京還在情理之中，若以東京為日本漢學中心，則與當時中國學人的公論相去太遠。胡適的學問不得京都學派好評，知識結構卻易於理解陳垣的意思，反應顯然較幾位入門不久的後進來得準確。

其二，在陳垣看來，日本究竟是已經成為國際漢學的中心，還是尚在爭奪過程之中？20世紀前半葉，巴黎是國際漢學界公認的中心，日本的東西兩京急起直追，進展神速，但還無法動搖巴黎的中心地位。陳垣的本意，最終目的當然是將漢學研究中心奪回北京，而階段性目標，則應是與從政治軍事到學術文化各方面的野心日益明顯的東鄰日本競爭。所以他每收到日本寄來研究中國歷史的論著，就感到無

---

42 楊聯陞：《陳寅恪先生隋唐史第一講筆記》，《清華校友通訊》1970年4月29日。。

43 蔣天樞：《師門往事雜錄》，北京大學中國中古史研究中心編：《紀念陳寅恪先生誕辰百年學術論文集》，第13-14頁。

異一顆炸彈扔到自己的書桌上。[44]他希望中國的各行各業努力與日本競爭，「我們是幹史學的，就當處心積慮，在史學上壓倒人家！」[45]與日本爭，事關國家民族的生死存亡，所以尤其具有緊迫性。1929年5月，陳垣在燕京大學現代文化班演講《中國史料急待整理》，認為「我們若是自己不來整理，恐怕不久以後，燒又燒不成，而外人卻越俎代庖來替我們整理了，那才是我們的大恥辱呢！」[46]致力於學術，已經成為救亡圖存的有機部分。

　　陳垣欲將漢學研究中心奪回北京的志向，在當時中國學術界不乏同道。傅斯年即為其中典型代表。1928年傅斯年等人創建中央研究院歷史語言研究所，明白宣稱：「我們要科學的東方學之正統在中國！」並且對於中國人坐看豐富的學問的原料毀壞亡失，被歐洲人或搬或偷，以及「西洋的東方學者之拿手好戲，日本近年也有竟敢去幹的，中國人目前只好拱手謝之而已」的狀況「著實不滿」、「著實不服氣」[47]。為了後來居上，「以分異國造詣之隆」[48]，傅斯年聚合了一批由留洋學者組成的新軍，其中唯一的例外便是陳垣。為了爭取陳垣加盟，傅斯年寫了據說是他最客氣的信，表達對陳垣的仰慕之情外，特意提出：

---

44 柴德賡：《我的老師陳垣先生》，《文獻》1980年第2輯；劉乃和：《書屋而今號勵耘》，陳智超編：《勵耘書屋問學記——史學家陳垣的治學》，北京，生活·讀書·新知三聯書店1982年版，第152頁。

45 朱海濤：《北大與北大人》，《東方雜誌》第40卷第7號，1944年1月。

46 《史學年報》第1期，1929年7月。

47 傅斯年：《歷史語言研究所工作之旨趣》，《歷史語言研究所集刊》第1本第1分，1928年10月。

48 傅斯年：《研究員聘書稿》，歷史語言研究所檔案元字130號之1。引自杜正勝：《無中生有的志業——傅斯年的史學革命與史語所的創立》，《中央研究院歷史語言研究所七十週年紀念文集：新學術之路》，第23頁。

「斯年留旅歐洲之時，睹異國之典型，慚中土之搖落，並漢地之歷史言語材料亦為西方旅行者竊之奪之，而漢學正統有在巴黎之勢，是若可忍，孰不可忍。」[49]

　　儘管陳垣對傅的主張不見得全盤接受，一些方面還有明顯分歧，因此始終保持一定的距離，卻受聘為特約研究員，顯示在主要方面志同道合。如果說1917年至1937年陳垣主要「致力於確立中國的國際漢學研究中心的地位」[50]，加入史語所無疑是其中的重要發展階段，從此由個人努力變為集體的有組織行動。

四　天下英雄誰敵手

　　爭勝便不免有異同分合。陳垣以研究古教成名，也由此與伯希和結緣。尤其是關於摩尼教的研究。1923年4月，陳垣在北京大學《國學季刊》第1卷第2號發表《摩尼教入中國考》，以京師圖書館所藏敦煌摩尼教經殘卷，參照其它相關史料考證宗教史。此問題及資料，沙畹（Emmanuel-Edouard Chavannes）、伯希和10年前已經做過研究，並在《亞洲報》發表《研究京師圖書館藏敦煌摩尼教殘經》，內容與陳垣文多相類，而陳並未看過沙、伯二人的論文。此事被時人斷為水準相近者用相同材料研究同一問題，其結論往往相似的典型。陳垣文後出，所引材料及探討問題較前人詳備，或認為論及此事者雖有蔣伯斧、伯希和、王國維等數人，「具體解決者，只有陳援庵一人。」[51]伯

49　歷史語言研究所檔案元字109號之1。引自杜正勝：《無中生有的志業——傅斯年的史學革命與史語所的創立》，《中央研究院歷史語言研究所七十週年紀念文集：新學術之路》，第27頁。有關史語所成立及其特色，參見杜正勝文。

50　牛潤珍：《陳垣學術思想評傳》，第226頁。

51　劉銘恕：《書陳垣摩尼教入中國考後》，《北平晨報・思辨》，1936年第40期。

希和看到陳垣的論文，即致函陳垣，查詢有關宋元間摩尼教流入福建的情形，尤其關注耳聞已久的福州烏石山刻有二宗經、三際經的兩塊宋碑[52]。陳接信後，即托樊守執代為查訪。樊氏先是設法坐實伯希和是否由龔易圖處獲得信息，繼而到烏石山及其支脈的各宮觀、寺廟、祠堂、宅邸及沿山石崖尋訪多日，均無發現，遂斷定「烏石一山實無該經石刻、木刻或經卷」[53]。此事雖無結果，卻是陳垣與伯希和文字交往的發端。

伯希和與中國學者結緣，敦煌遺書是重要媒介。1924年陳垣將北平圖書館藏敦煌經卷八千餘軸，分辨類別，考訂同異，編成目錄，名《敦煌劫餘錄》，據說取其歷劫僅存之意。1930年付梓時，陳垣自序，中有「（清光緒）三十三年，匈人斯坦因、法人伯希和相繼至敦煌，載遺書遺器而西，國人始大駭悟」。友人勸以序中不要直接提名，因為二氏來中國，在學術界集會上彼此還常見面，而且「劫餘」二字太「刺激」，是否改一名稱。陳答稱：「用劫餘二字尚未足說明我們憤慨之思，怎能更改！」[54]是書1931年由歷史語言研究所印行。兩年後伯希和對陳垣推崇有加，並不以「劫餘」之斥為忤。陳垣與伯希和關於學術為天下公器和學者民族感情相輔相成的態度，成為那一時期中外學術交流進入相對正常的發展軌道的重要基因。

陳垣與伯希和學術交往的另一領域為元史研究。清代學術，經過咸同時期大動盪的衝擊，到光宣時正統考據學呈現復興之勢，而研究

---

52 伯希和：《福建摩尼教遺跡》，《西域南海史地考證譯叢》第9編，第126頁。

53 陳智超編注：《陳垣來往書信集》，第163-167頁。據樊守執說，龔易圖於光緒十九年（1893）已經身故。另據伯希和《說郛考》，他在龔易圖處還看到澹生堂鈔本《百夷傳》和《九夷古事》（《北平圖書館月刊》第6卷第6號，1932年11、12月）。此事伯氏當聞諸龔的後人。

54 劉乃和：《書屋而今號勵耘》，陳智超編：《勵耘書屋問學記──史學家陳垣的治學》，第154頁。

領域有所轉移，元史及西北地理學為最流行的幾種學問之一[55]。伯希和始終關注中國學者的蒙元史研究進展，並不斷予以評介[56]。1933年伯氏來華，特將蘇俄國家學院所藏《元祕史》影本十五卷六冊分贈北平圖書館，並與陳垣談及該本的來歷。陳垣閱讀一過，致函伯氏，表示「至深感謝」之外，考證此即韓泰華本，亦即鮑廷博從《永樂大典》鈔出，並從刻本補寫之本，希望用該本合自己所藏文廷式鈔本再校一次。[57]為此，陳垣還致函陳寅恪，詢問有關意見。後者答稱：「《祕史》韓本前在巴黎伯君家匆匆一見，亦不知其與葉刊優劣如何也。」[58]是年夏，北平圖書館趙萬里從內閣大庫故紙堆中發現洪武槧本殘頁以及《華夷譯語》。陳垣比較各本，發現《元祕史》漢譯音義兼備的規律，寫成《元祕史譯音用字考》。[59]

後來伯希和繼續注意此項研究的進展，1935年再度來華，即向北平圖書館副館長袁同禮索借有關資料。而這些資料當時還在陳垣手中。為此，5月1日袁同禮致函陳垣：「前尊處借用《元祕史》、《華夷譯語》、越縵堂手稿本及《新會縣志》等書，如已用畢，擬請費神檢出，交去人攜下為感。內中有數種擬交伯希和一看，渠日內來平也。」[60]是年5月5日、18日，伯希和先後出席了北大外籍教授鋼和泰、中研院史語所所長傅斯年和陳寅恪的宴請， 5月29日，陳垣長校

---

55 梁啟超：《中國近三百年學術史》，東方出版社1996年版，第34頁。

56 參見伯希和《庫蠻》、《元祕史舊蒙文中之一段訛誤》、《評王國維遺書》等文，馮承鈞譯：《西域南海史地考證譯叢》第1卷。

57 陳智超編注：《陳垣來往書信集》，第417-418頁。

58 陳智超編注：《陳垣來往書信集》，第378頁。是函屬期「五月四日」，編者繫於1935年。按陳垣用韓本校勘葉氏刻本《元祕史》在1933年，似不應兩年後才與陳寅恪討論有關問題。

59 陳樂素、陳智超編校：《陳垣史學論著選》，第355-363頁。

60 陳智超編注：《陳垣來往書信集》，第443頁。編者屬是函日期為約1933年5月1日，誤。1933年伯希和來華，4月已經離開北平。1935年再度來華，才於5月訪問北平。

的輔仁大學宴請伯希和夫婦和另一天主教中的人類學者，[61]其中一些
場合陳垣理應陪座甚至作東。如果推測不謬，這當是陳垣與伯希和最
後一次見面。

　　反法西斯戰爭期間，中國先被日本侵佔，法國繼遭納粹德國奴
役，陳垣與伯希和都經歷了戰爭和淪陷的厄運。好不容易熬到戰爭結
束，伯希和即因身患癌症於1945年10月與世長辭。[62]1945年11月2日，
歷經劫難、身心交瘁的陳垣「閱報知伯希和先生已作古，更為之悵
然。」[63]致函傅斯年，以述哀思。5天後，復接方豪來函，言及「今春
馬伯樂逝世集中營，晚曾為文悼念，伯希和之喪，乃以其著述之富，
竟有不能執筆志哀之感。」陳垣覆函沒有直接回應伯希和逝世一事，
卻借來函所提及的魯實先1944年發表於《復旦學報》創刊號的《陳氏
中西回史日曆冬至訂誤》一文，說了一段令人神傷氣沮的話：

> 「垣老矣！恐不復能有所造述，關於天主教史及《日曆》等，
> 皆二三十年前所致力，此調不彈久矣。今得諸君子之接力，豈
> 不甚善！」[64]

　　據說從1946年至1948年，「三年內他一篇文章都沒寫過，為了應
付報刊的約稿，只發表過一些舊稿短文。這些短文大都是1942年寫成
尚未出版的《中國佛教史籍概論》中的部分篇章。還有講授『史源學
實習』課時給學生寫的習作範文。」[65]陳垣一生治學勤奮，成果甚

61　《胡適日記》（手稿本）1935年5月5、18、29日。

62　翁獨健：《伯希和教授》，《燕京學報》第30期，1946年6月。

63　陳智超編注：《陳垣來往書信集》，第561頁。

64　陳智超編注：《陳垣來往書信集》，第304-305頁。

65　牛潤珍：《陳垣學術思想評傳》，第84頁。

豐，即便淪陷期間，仍著述不輟，戰後反而擱筆，個中原因，當不僅僅在於政治一面。

今人理解陳垣的學術思想變化，多依據其1943年11月24日致方豪函，其中說：「至於史學，此間風氣亦變。從前專重考證，服膺嘉定錢氏；事變後頗趨重實用，推尊崑山顧氏；近又進一步，頗提倡有意義之史學。故前兩年講《日知錄》，今年講《鮚埼亭集》，亦欲以正人心，端士習，不徒為精密之考證而已。」揣摩其意，陳垣不過適應風氣變化而轉移，並非其史學思想的改變。所以他接著寫道：「此蓋時勢為之，若藥不瞑眩，厥疾弗瘳也。」[66]對於淪陷期間應時勢而作的著述，雖為報國之道，從學術角度看陳垣本人並不甚滿意。1946年3月6日，分別十年的楊樹達來函詢問：「不知近日著書又增益多少？」陳垣答稱：「詢近年拙著，惟有慚愧而已。國難中曾著宗教三書：……皆外蒙考據宗教史之皮而提倡民族不屈之精神者也。從今日視之，殆如夢囈耳！」[67]陳垣矢志不渝的學術志向，應仍在與東西洋中國學者爭奪漢學研究的中心地位，戰時的報國之作，似不足以擔此重任，「動國際而垂久遠」[68]。而戰爭令既是競爭對手又是學術友人的異國同好過早謝世，那種失落悵惘正如武林高手痛惜英雄！儘管有人稱陳垣為「中國之桑原」[69]，其心目中的天下英雄唯使君，域外恐怕非伯希和莫屬。由此看來，陳垣擱筆，與失去伯希和這樣的競爭對手不無關係。

66 陳智超編注：《陳垣來往書信集》，第302頁。

67 陳智超編注：《陳垣來往書信集》，第365頁。

68 陳智超編注：《陳垣來往書信集》，第355頁。

69 陳智超編注：《陳垣來往書信集》，第169頁。

第九章
廈門大學國學院風波

　　梁啟超曾經指出，近代史不易徵信近真的要因之一，在於當事人往往將真跡放大。[1]曲筆與諱飾為歷史記載中有意造成的變相，一旦相關人數稍多而又利害各異，所反映的史實不免依據各人的立場和利害而不同程度、不同範圍地伸縮，以致各人提供的關於同一事件的記憶圖像無法重合，形成各種版本的「羅生門」。對此，後世史家本應收集比勘各種記載，去偽存真或偽中求真，以求接近事實真相。但治史之人同樣難以避免主觀感情，每每以所研究人物為中心取證，或替相關人物人為劃定取信標準，結果史料的感情色彩通過研究非但未能過濾消除，反而進一步擴大。由此可見，在學術領域若以一人之是非為是非，則無是非可言，無信史可徵。1926-1927年的廈門大學國學院風波，即為典型個案。此事牽涉魯迅、林語堂、顧頡剛、林文慶、沈兼士、張星烺、劉樹杞、秉志等眾多近代學術文化界知名人士，背後還牽連「現代評論」派與「語絲」派衝突的夙怨，夾雜廈大教職員內部外籍與本省的明爭暗鬥，深一層考察，更有中國社會矛盾與學術轉型的糾葛。剖析此案，不僅有助於認識同類事件，而且可提供方法的借鑒。

一　舊嫌新隙

　　廈門大學國學院的主幹班底，幾乎是北京大學研究所國學門的延

1　《中國歷史研究法》，《飲冰室專集》第1冊，第6頁。

續。其矛盾衝突的核心，也基本因緣這一人脈關係而來。

　　1926年奉系軍閥佔據北京，加緊迫害進步知識界，五四以來一直是新文化中心的北京大學的新進教師不安於位，紛紛走避。新設的廈門大學國學院，因為曾在北大研究所國學門兼職的林語堂移席廈大，擔任文科主任，欲吸引人才以壯聲勢，趁機聯絡，結果以北京大學國學門主任沈兼士為首的一批北大出身者連袂南下。廈門大學公佈的國學院首批新聘教職員中，林語堂、沈兼士分別擔任總秘書和主任，研究教授周樹人、顧頡剛、張星烺、考古學導師林萬里、陳列部幹事黃堅、編輯部幹事孫伏園、出版部幹事章廷謙、圖書部幹事陳乃乾、英文編輯潘家洵、編輯容肇祖、丁山、林景良、王肇鼎，除後二人外，其餘均出身北大，直接與北大國學門有淵源者就有林語堂、沈兼士、顧頡剛、容肇祖、丁山等5人。[2]

　　人脈轉移，矛盾隨之。剛剛半年，廈大國學院就在錯綜複雜的衝突中宣告解體。其中的要因，作為當事人的魯迅在其書信日記中記載和抨擊較多的是以顧頡剛為代表的所謂「現代評論」派。相當長的時期內，循著以魯迅為中軸線解釋歷史的框架，一方的陳述不僅是歷史的證言，還幾乎成了定案的判詞。尤其是在顧頡剛的背後牽扯上胡適這一條線，更演變成階級與路線的生死之爭。近20餘年來，隨著觀念的改變和研究的深入，認識從兩方面發生變化。

　　其一，對胡適的研究趨於客觀，進而重新檢討魯迅與胡適的關係，認為「長期以來，人們對他們之間的分歧談論較多，對他們在20年代中期之前的一致性評介不足；而在指出他們分歧的時候，對於這種差異產生的原因又缺乏過細的分析。」論證兩人在1920年代中期以前關係較好，互相敬重。此後因政治觀點相左，才逐漸疏離直到對

2　《新聘教職員略歷》，《廈門大學周刊》第156、157期，1926年9月25日、10月2日。

立。[3]

　　其二，重新肯定顧頡剛的學術地位與成就，並具體分析他與胡適、陳源及「現代評論」派的關係。早在1978年，汪毅夫就撰文指出所謂廈大的「現代評論」派勢力，「組織上既不屬於現代評論派，思想傾向上亦不如該派之強烈。」顧頡剛雖然自稱佩服胡適、陳源，「組織上卻屬於《語絲》派，是《語絲》的十六名撰稿人之一，同現代評論派畢竟有所區別。」[4]

　　近年顧潮所著《歷劫終教志不灰──我的父親顧頡剛》，依據顧氏遺留的日記、書信以及其它相關資料，深入剖析了顧頡剛與魯迅結怨的前因後果。原來北京大學因蔡元培實行教授治校，為了爭奪權利，教授會分為英美、法日兩大派系，經常彼此明爭暗鬥。胡適、陳源等是英美派的中堅，浙江籍的三沈二馬則是法日派的骨幹。周氏兄弟屬於法日派，顧頡剛雖然身份上超然物外，職位卻介乎其間，不免兩面不討好，得咎了法日派。由於在北大時期的宿怨，加上魯迅聽說顧頡剛推重與自己矛盾極深的陳源，以及兩人在待人處世和治學風格方面的諸多差異，共事於彈丸之地，人脈上又繼續北大國文系的矛盾糾葛，魯迅還缺乏容忍精神，衝突在所難免。[5]

　　依據上述分析，廈門大學國學院衝突很難被視為有意義的思想政治鬥爭，至多不過是以派系矛盾為背景的個人恩怨。相對而言，這樣的看法較從前上綱上線的誇大更接近歷史的真實。不過，新的解釋仍存在若干不盡不實之處。首先是關於具體史實的指認，一些人意識到突出魯迅與顧頡剛的矛盾，既不可能提到思想政治鬥爭的高度，反而

3　陳漱渝：《魯迅與胡適：從同一戰陣到不同營壘》，耿雲志、聞黎明編：《現代學術史上的胡適》，北京，生活・讀書・新知三聯書店1993年版，第347-363頁。

4　《魯迅在廈門若干史實考》，《福建師大學報》1978年第3期。

5　華東師範大學出版社1997年版，第97-116頁。

有損於魯迅的形象，或者從為顧頡剛開脫的願望出發，都試圖將魯、顧矛盾降到次要位置。此說亦有所本，據說1927年1月初魯迅辭職風聲傳出，校長林文慶為推脫責任，向外宣稱魯迅之行係由國學院內部分為胡適派與魯迅派相互衝突之故，為媒體所揭載。為此，國學院開會質問林文慶，魯迅、顧頡剛、林語堂、陳萬里、章廷謙等人還親赴報社，否認其事。報社為此道歉，並刊登更正啟事。[6]其實，當事雙方對於彼此過節均心知肚明，耿耿於懷。魯迅坦言：「我在廈門時，很受幾個『現代』派人物的排擠，我離開的原因，一半也在此。但我為從北京請去的教員留面子，秘而不說。」[7]所謂「秘」，主要是對外，與許廣平等人的通信中，即直言不諱。

　　顧頡剛開始對雙方矛盾的反應似不如魯迅那樣強烈，但也絕非懵然無知或視而不見。目前所見顧氏對有關事情的直接記載，幾乎都在魯迅離校之後。1927年2月2日，顧頡剛致函胡適，告以廈門大學風潮情形，仍尊稱「魯迅先生」，而強調與劉樹杞的矛盾，給人以北大同人一致對外之感，只是對後到廈門的章廷謙「大肆挑撥」公然表示厭惡，斥為「此等小人」[8]。其實，如果「川島」背後沒有魯迅的關係，決無動搖顧頡剛地位的能量，也不會引起後者的注意。顧對此心中有數，所以後來他告訴胡適：「去年我初到廈門時，曾勸語堂先生不要聘川島，孰知這一句話就使我成了魯迅和川島的死冤家。」[9]可見前此雖僅指名川島，仍然包括魯迅，只是顧、魯二人至此尚未公開翻臉。

　　3月1日，顧頡剛接到傅斯年從廣州中山大學寄來的快信，邀其前

6　顧潮編著：《顧頡剛年譜》，第135-136頁。

7　《魯迅全集》第11卷，人民文學出版社1989年版，第540頁。

8　中國社會科學院近代史研究所民國史組編：《胡適來往書信選》上冊，第422-427頁。

9　中國社會科學院近代史研究所民國史組編：《胡適來往書信選》上冊，第429頁。

往中大辦中國東方語言歷史科學研究所,「並謂魯迅在彼為文科進行之障礙」。顧因廈大國學院已於2月中旬停辦,考慮今後去向,擬接受邀請,而與魯迅的關係,是其權衡進退取捨的重要因素。他以為:「我性長於研究,他(魯迅)性長於創作,各適其適,不相過問可已。」雖然有在廈門大學國學院的過節,仍覺得可以相安無事。不料擔任中大教務主任的魯迅得知此事,力加反對,「宣言謂顧某若來,周某即去。」傅斯年電告:「彼已去阻,弟或亦去校,派兄去京坐辦書,月薪三百,函詳。」[10]顧因故未收到傅的來函,隻身赴粵觀看情形,結果魯迅立即辭職,引發新的一輪風波。顧頡剛知道魯迅對自己銜恨過於對章士釗,遂不再掩飾兩人的矛盾,不僅向胡適陳述彼此交惡的過程,而且抱怨道:「我真不知前世作了什麼孽,到今世來受幾個紹興小人的播弄!」[11]已經不再顧全面子和風度了。

　　魯迅何以對顧頡剛抱有成見,以及為何將顧視為現代評論派,現行解釋仍有不如人意之處。這時魯迅與胡適的關係雖然疏離,但尚未破裂,內心的嗤之以鼻還不至於形於言表。在現代評論派中,此前真正與魯迅結怨的,是閒話專家陳源。1925年的北京女師大風波,陳源與魯迅針鋒相對,相互筆戰,尤其是後來公開指魯迅的《中國小說史略》「竊取」日本學者鹽谷溫的《支那文學概論講話》,犯了學界的大忌。疑心甚重又疾惡如仇的魯迅對此當然不能容忍。陳源的信由徐志摩編輯發表於1926年1月30日《晨報副刊》,魯迅的反應相當強烈,立即寫了《不是信》的長文反駁。

　　據顧潮說,當時有人認為魯迅參考鹽谷溫的書而未注明,有抄襲之嫌,顧頡剛亦持此觀點,並與陳源談及,陳公佈此事,遂使魯迅與

---

10 顧潮:《歷劫終教志不灰——我的父親顧頡剛》,第106-113頁;《顧頡剛年譜》,第138頁。

11 《中國社會科學院近代史研究所民國史組編:胡適來往書信選》上冊,第430頁。

顧頡剛結怨。[12]而胡適的講法，陳源是「誤信一個小人張鳳舉之言，說魯迅之小說史是抄襲鹽谷溫的，就使魯迅終身不忘此仇恨！」[13]顧不通日文，其說當不如留日出身又治文學史的張鳳舉見信於人，也不會是始作踊者。魯迅自稱有關的「流言」早已聽說，「後來見於《閒話》，說是『整大本的剽竊』，但不指我，而同時有些人的口頭上，卻相傳是指我的《中國小說史略》。」[14]這種口頭流言在學界內部似已傳播開來，顧頡剛或為傳言者之一。至於魯迅是否知道顧頡剛的態度，則無明確證據，魯迅本人關於此事的言論，始終未提及顧的名字。收錄《不是信》的《華蓋集續編》編定於1926年10月中旬，這時魯迅對顧已生惡感，如果他知道前此剽竊公案的傳言以顧為禍首，肯定不會置若罔聞，善罷甘休。

「語絲」與「現代評論」派不和，胡適當然是知情人，卻並未介入魯迅與陳源之間的衝突，直到1926年5月24日，他才從天津致函二人及周作人，對論戰各方進行勸解和批評。他深知雖然「三位都自信這回打的是一場正誼之戰」，但「當日各本良心的爭論之中，不免都夾雜著一點對於對方動機上的猜疑；由這一點動機上的猜疑，發生了不少筆鋒上的情感；由這些筆鋒上的情感，更引起了層層猜疑，層層誤解。猜疑愈深，誤解更甚。結果便是友誼上的破裂，而當日各本良心之主張就漸漸變成了對罵的筆戰。」勸告各位不要自相猜疑、殘害、踐踏，引導青年朝著冷酷、不容忍的方向走，應該共同對付前面

---

12 顧潮：《歷劫終教志不灰——我的父親顧頡剛》，第103頁。

13 中國社會科學院近代史研究所民國史組編：《胡適來往書信選》中冊，第339頁。張定璜於《現代評論》第1卷第7、8期（1925年1月24、31日）連載題為《魯迅先生》的文章，評其小說《吶喊》。

14 《魯迅全集》第3卷，人民文學出版社1956年版，第167-168頁。陳源曾在《現代評論・閒話》專欄發表《剽竊與抄襲》一文，批評著述界盛行此風。

的公敵。[15]後來他還勸陳源寫篇短文，為魯迅洗刷明白鹽谷一案。

胡適的信是否寄或帶或轉交到魯迅處，無從查考，魯迅日記中找不到有關記錄，其它文字也不見提及。[16]不過，雖然這時胡適仍稱魯迅為「我的朋友」，作為現代評論派的精神領袖，魯迅顯然已經不把胡適看成同道。有學者指出，從1926年1月起，魯迅已在著述中公開點名批評胡適。[17]只是對外還有所分別，關於廈門大學的現代評論派，除了給許廣平的信牽連到胡適外，對許壽裳、章廷謙等則僅指名陳源。

魯迅與顧頡剛的矛盾雖然淵源於北京大學，其實二者均不屬於北大對立競逐的兩派，至少不是其中的骨幹。魯迅根本否認自己是北大派，更不承認為某籍某系。顧頡剛雖是胡適的學生，但在北大時尚屬人微言輕，亦不能躋身英美派的行列。魯迅將原屬於「語絲」的顧氏目為現代評論派，別有原因。其一，魯迅聽說顧頡剛聲稱只佩服胡適、陳源。顧頡剛因為與胡適關係較深，在北大派系之爭中，被留日出身的浙江籍太炎門生視為異類。顧對錢玄同、沈兼士等人亦無好感。魯迅雖然並非北大派直系，同門交友畢竟與之關係密切，大概也風聞一二閒言碎語，對顧印象不佳。同時，顧在「語絲」派中，學問興趣（如民俗學）及做事風格似與周作人更易接近，而後者與魯迅已經反目成仇，並在1925-1926年間與魯迅展開筆戰。

其二，顧頡剛宣稱「只認得學問，不認得政見與道德主張」，與陳源等人的見解一致，得到後者的大力推崇，而與魯迅的主張背道而

---

15 中國社會科學院近代史研究所民國史組編：《胡適來往書信選》上冊，第377-380頁。
16 或以為魯迅的《論費厄潑賴應該緩行》即包含對胡適的答覆（周啟付：《魯迅與胡適》，宋慶齡基金會、西北大學主辦：《魯迅研究年刊》1990年號，中國和平出版社1990年版），實則該文先於胡適函半年發表。魯迅一直抨擊現代評論派貌似公正的君子之風，當也包括胡適的風格與主張，但具體所指還是陳源。
17 周啟付：《魯迅與胡適》，《魯迅研究年刊》1990年號。

馳。顧對其主張身體力行，他雖屬「語絲」，卻參與《現代評論社》
的宴請和陳源、淩叔華的婚禮，並受陳源之邀，在《現代評論》發表
有關古史的文章[18]。尤其是1926年上半年，顧頡剛在《現代評論》連
續發表《瞎子斷匾的一例—靜女》（第3卷第63期，1926年2月20日）、
《孟姜女故事之歷史的系統》（第3卷第75-77期，1926年5月15-29
日）、《楊惠之塑像續記》（第4卷第82期，1926年7月3日）、《孟姜女的
故事》（二週年增刊》等文章，與陳源勢同水火的魯迅如何感覺，可
想而知。顧到廈門大學後，繼續貫徹初衷，與魯迅的衝突在所難免。

　　其三，陳源、胡適等人對顧頡剛評價甚高，對魯迅有所刺激。
1925年底顧頡剛為《北京大學研究所國學門周刊》作《一九二六年始
刊詞》，強調研究國故的必要。陳源雖然認為作為新文學運動代表的
胡適研究國故有負面影響，對顧頡剛的主張卻「覺得幾乎沒有一句話
不同意」[19]。尤其是1926年6月《古史辨》第1冊出版，陳源、胡適均
給予極高讚譽，使其聲望地位迅速飆升。當該書尚在印刷之際，陳源
就在《現代評論》予以大力表彰，將其列入「新文學運動以來的十部
著作」之中（實際開列了11部），也是學術方面的唯一著作。與之並
列的其它著作為：胡適的《胡適文存》（新文學、中國文學史）、吳稚
暉的《一個新信仰的宇宙觀與人生觀》（思想）、郁達夫的《沉淪》和
魯迅的《吶喊》（短篇小說）、郭沫若的《女神》和徐志摩的《志摩的
詩》（新詩）、丁西林的《一隻馬蜂》（戲劇）、楊振聲的《玉君》（長
篇小說）、冰心的《超人》（兒童文學）、白薇的《麗琳》（詩劇）。

　　顧、魯雖然同在被推舉點評之列，措辭卻明顯有別。對於《古史

---

18 顧頡剛先後在《現代評論》發表《古史研究法》（第1卷第10期，1925年2月14日）、
　　《古物陳列所書畫憶錄》（第1卷第19、23、24期，1925年4月18日-5月23日）。顧在
　　《古物陳列所書畫憶錄》中明言：「西瀅先生來信急索文藝的稿子」。
19 《再論線裝書》，吳福輝編：《西瀅閒話》，海天出版社1992年版，第228頁。

辨》，陳源認為其「價值是不容易推崇過分的。他用了無畏的精神，懷疑的態度，科學的方法去整理一篇幾千年來的糊塗賬，不多幾年已經開闢了一條新路，尋到了許多大漏洞。」至於魯迅的短篇小說，則多數還是「外表的觀察，皮毛的描寫」，只有阿Q是生動活潑的典型，將來大約會和李逵、魯智深、劉姥姥同樣的不朽。同時陳源還注明：「我不能因為我不尊重魯迅先生的人格，就不說他的小說好，我也不能因為佩服他的小說，就稱讚他其餘的文章。我覺得他的雜感，除了《熱風》中二三篇外，實在沒有一讀的價值。」[20]態度大有保留。

是年7月，胡適在赴歐途中撰文《介紹幾部新出的史學書》，認為《古史辨》「是中國史學界的一部革命的書，又是一部討論史學方法的書。此書可以解放人的思想，可以指示做學問的途徑，可以提倡那『深徹猛烈的真實』的精神。治歷史的人，想整理國故的人，想真實地做學問的人，都應該讀這部有趣味的書。」是文也由《現代評論》刊載（第4卷第91期，1926年9月4日）。顧頡剛因為這些褒獎，學術地位驟然升高，在廈門大學與魯迅平起平坐，連舊日的同道同鄉亦不免側目。魯迅在廈門期間顯然關注《現代評論》對於自己和顧的種種議論，很容易將後者視為《現代評論》派的同人[21]。

其四，顧雖然自稱「本來怕管事」，但為人又「頗有些掮木梢的勇氣，不作事則已，一作事則必全力為之，這便是使得同儕討厭的一件事」[22]。作事便要聚人，與當局交涉，並且加緊出成果。他指魯迅為「名士派」，稱廈大國學院「與其說是胡適之派與魯迅派的傾軋，

20　《西瀅閒話》，第260-261頁。除《古史辨》外，陳源對其餘各人及其著作多有保留。連胡適對陳源單取《文存》而不取《哲學史》，也感到難以接受。

21　廈門雖然比較蔽塞，「《現代評論》倒是寄賣處很多」（《魯迅全集》第11卷，第527頁）。

22　顧頡剛1927年2月20日致馮友蘭信、1929年7月28日致戴季陶、朱家驊信，引自顧潮：《歷劫終教志不灰——我的父親顧頡剛》，第106、125頁。

不如說是工作派和不工作派的傾軋」[23]，這自然使本來多疑的魯迅更加警覺，認為「此公急於成名，又急於得勢，所以往往難免於『道大莫能容』」[24]。受到壓力的魯迅指責顧頡剛的主要罪名之一，就是營植排擠。而這也是顧頡剛後來在廣州與傅斯年鬧僵的重要原因。

　　凡此種種，都使得魯迅在編輯與現代評論派論爭的文集的同時，一方面回味著鬥爭的餘韻，一方面感覺到新的刺激，將現時的衝突視為過去一輪鬥爭的延續。在某些方面與現代評論派有所共鳴的顧頡剛，實際上成為替罪羔羊，作了魯迅正義神壇上的犧牲。

二　文理爭風

　　廈門大學國學院衝突的另一要因，是來自校方及理科的壓迫。在魯迅與顧頡剛的矛盾被降溫後，一些學人將批判矛頭主要指向了校長林文慶和理科主任兼校長秘書劉樹杞，尤其是關於林語堂的各種傳記，多持此說。

　　魯迅離開廈門大學時，廈大學生認為是校方容不得魯迅，除校長林文慶外，辦理行政事務的劉樹杞應負主要責任，因而發動反劉風潮。加上教員中閩南派與外省派的矛盾，劉樹杞不得不隨之離校，前往武漢大學任職。魯迅本人也說過廈大「理科也很忌文科，正與北大一樣」[25]。不過，突出魯迅與劉樹杞的矛盾，有被林語堂的一面之詞所誤導之嫌。[26]此事須跳出衝突各方的矛盾糾葛，從當時整個中國的

23　中國社會科學院近代史研究所民國史組編：《胡適來往書信選》上冊，第430頁。

24　《魯迅全集》第11卷，第655頁。

25　《魯迅全集》第11卷，第163頁。

26　參見《林語堂自傳》，江蘇文藝出版社1995年版，第99頁；林語堂：《憶魯迅》，《無所不談合集》，臺北，開明書店1985年版。林語堂稱：「由於劉樹杞的勢力和毒狠，魯迅被迫搬了三次家。……他在這種情形之下，當然是無法在廈門待下去。」

學術發展背景著眼觀察。

拋開與「現代評論」派的矛盾，魯迅對廈門大學的印象一開始便不大好，以後則更加壞。其形容該校的名言，是「硬將一排洋房，擺在荒島的海邊上」[27]。他認為該校沒有人才，缺乏計劃，校長尊孔，學生太沉靜，教員則大行「惟校長之喜怒是伺，妒別科之出風頭，中傷挑眼」的「妾婦之道」。與北京相比，是同樣污濁的小溝。[28]這固然表現了魯迅本人一貫的犀利言鋒，但對於廈門大學及國學院的主辦者而言，則有失公允。

廈大由愛國華僑陳嘉庚獨力承辦，在當時的中國實為創舉。他請林文慶擔任校長，從教育的角度看未必最佳，人事安排上卻自有依據。林文慶為新加坡著名僑領，是新加坡歷史上第一位獲得英女王獎學金的華人，畢業於英國愛丁堡大學醫學院，擔任海峽殖民地立法會議員。19世紀末到20世紀初，他先後參與了孫中山、康有為等人領導的革命及勤王活動，與國內政界發生聯繫。[29]民初又曾擔任南京臨時政府官員。其主持校政期間，所聘教授多為一時之選。如博物院主任秉志，美國康乃爾大學農學院動物專業畢業獲博士學位後，到聲名最著的賓夕法尼亞大學 Wister 生物研究所研究解剖學三年，歸國後曾任南京高師（東南大學）教授，並在南京中國科學社辦博物院。[30]他「講學之時即建立最高之標準，自始即提倡研究」[31]，在中國自然科

27　《魯迅全集》第11卷，第170頁。

28　《魯迅全集》第11卷，第169頁。

29　參見拙文《新加坡華僑與庚子勤王運動》，中山大學孫中山研究所編：《孫中山與華僑──「孫中山與華僑」學術研討會論文集》（《孫中山研究論叢》第13集），廣州，中山大學出版社1996年版。

30　《動物學教授秉志博士略歷》，《廈門大學周刊》第123期，1925年10月17日。

31　胡先驌：《京師大學堂師友記》，王世儒、聞笛編：《我與北大──「老北大」話北大》，北京大學出版社1998年版，第23頁。

學界為繼北大地質系之後開風氣之先者，其培養的學生名家輩出，多為中國生物學界重鎮。此人不僅學問上佳，而且為了學術事業不惜犧牲個人。他後來擔任南京科學社生物研究所和北平靜生生物調查所事務，將自己收入的半數貼在裏邊，往來北平、南京多坐二等車，有時坐三等，刻苦程度為人所不及。[32]1935年1月，胡適向陳濟棠說明「現在中國的科學家也有很能做有價值的貢獻的了，並且這些第一流的科學家又都有很高明的道德」，隨口所舉的四位科學家中，就有「生物學家的秉志」[33]。新中國成立後，曾擬邀其出任科學院院長。

理科主任劉樹杞是密西根大學學士，哥倫比亞大學博士，「治化學甚有成績」，離開廈門大學後，相繼任武漢大學校長和北京大學理學院長。胡適認為「其人很可以做事，北大得他，可稱得人。」[34]

文科方面，除國學院外，所聘國文羅常培、哲學張頤、圖書館馮漢驥、歷史社會陳定謨等，亦有較高水準。而且該校一定程度上似能發揚蔡元培兼收並蓄之風，除新潮學人外，還聘請過陳衍、毛常、繆篆等老輩，又接納戴密微、艾諤風（Gustav Ecke）、史祿國（Sergei Mikhailovich Shirkogoroff）等外籍學人，後來他們成為國際漢學名家。戴密微是戰後法國漢學界的領袖，史祿國在中國人類學界的地位相當於考古學界的安特生，艾諤風則在中國藝術史方面成就突出。[35]

以一後起的私立學校，能在短期內聚集如此眾多的優秀人才，實

32　1929年5月21日《丁文江致胡適》，中國社會科學院近代史研究所民國史組編：《胡適來往書信選》上冊，第514頁。

33　胡適：《南遊雜憶》，歐陽哲生編：《胡適文集》5，北京大學出版社1998年版，第619頁。其餘三位是：數學家姜蔣佐，地質學家翁文灝、李四光。

34　《胡適日記》手稿本，1931年3月28日。

35　參見杜正勝：《無中生有的志業——傅斯年的史學革命與史語所的創立》，臺北，中央研究院歷史語言研究所編印：《中央研究院歷史語言研究所七十週年紀念文集：新學術之路》；傅吾康著，胡雋吟譯：《德國青年漢學家》，胡雋吟譯編：《國難時期（1933至1944年）德國學術論文選譯》，胡雋吟1981年香港版。

屬不易。魯迅稱「總之這是一個不死不活的學校，大部分是壞人，在騙取陳嘉庚之錢而分之」[36]，未免過甚其詞，與其它人的感觸很有些不同。國學院解散之際，諸人對校方均有怨詞，開始卻都還不錯。顧頡剛雖然感到「風氣閉塞，文獻無徵，使人不慣」，一則「大學地處海濱，濤聲帆影，至暢胸懷」，二則「廈大富於資財，出版一方面，大可做些事業」，仍然差強人意。張星烺因無的款辦事，也只是覺得「此間情況不見甚佳」。容肇祖則「與居廣州時之不易覓良師友較，每覺到此地後為適意也。」[37]

此外，指責林文慶對國學研究沒有興趣，與新文化名人格格不入，故設障礙，讓國學研究院名存實亡；指劉樹杞培植勢力，排斥異己，視魯迅和語絲派人物為眼中釘，挪款給理科，欲以卡經費的手法扼殺國學研究等等，[38]與事實也有出入。林文慶的專業雖然是醫學，幼年卻受過儒學發蒙，大學期間，因自己中文漢語水準低而深以為恥，發奮自學。後又得到中英文俱佳的妻子黃端瓊的幫助。[39]岳父黃乃裳以及長期交友的邱菽園、徐季鈞、力昌等人多有科舉功名，耳濡目染之下，林文慶的漢語造詣頗深，並通數種方言和外語，熱衷於海外華文教育和傳播中國文化，曾撰寫翻譯《孔教大綱》、《李鴻章雜誌》、《離騷》、《從儒學立場看世界大戰》、《中國內部的危機》、《新中國》等著述。[40]其英譯漢籍還得到英國漢學家的讚譽。[41]他在廈門大

36　《魯迅全集》第11卷，第523頁。

37　陳智超編注：《陳垣來往書信集》，第170、210、266頁。

38　萬平近：《林語堂評傳》，重慶出版社1996年版，第69-70頁；劉炎生：《林語堂評傳》，百花洲文藝出版社1994年版，第63-64頁。

39　程光裕：《林文慶》，《常溪集》，臺北，中國文化大學出版部1996年版，第2030-2048頁。

40　《本校教職員著述之調查》，《廈門大學周刊》第257期，1931年4月25日。

41　陳民：《林文慶》，宗志文、朱信泉主編：《民國人物傳》第3卷，中華書局1981年版，第387-390頁。

學國學研究院成立大會上講話，談到自己與國學研究的關係及態度：

> 「鄙人與十餘年前，因北京政府召集醫學會議，曾在北京，一
> 次在會議席上，一般人對於醫學名辭，多用洋文，將中國固有
> 名辭，完全廢棄，不禁生無限感慨。因念中國數千年來固有文
> 字，竟衰替一至於此，真是令人痛心切齒。未幾適陳嘉庚先生
> 請鄙人來長本校，鄙人即詢其將來對於本校之宗旨，究竟注重
> 國學抑或專重西文。陳先生即答以兩者不可偏廢，而尤以整頓
> 國學為最重要。故鄙人來校之後，對於國學，提倡不遺餘力。
> 此次特組織國學研究院，聘請國內名人，從事研究，保存國
> 故，罔使或墜，一方則調查民間風俗言語習慣等。因我國各省
> 言語不同，如就南方而論，閩有閩語，粵有粵語，甚且縣與縣
> 殊，鄉與鄉異，民間動作，因之隔閡甚多。苟不統一，使之一
> 致，將來必致四分五裂，其危險有不可言喻者矣。」[42]

　　認識相當到位。依據廈門大學《組織系統一覽表》和《國學研究
院章程‧組織大綱》，國學院與大學部、高等學術研究院平行，置於
校長辦、評議會、行政會議之下，本、預科、各處及各委員會之上，
院長由大學校長親自兼任。而且林文慶不僅掛名而已，他出席了國學
院的籌備會、成立會等歷次重要會議，擔任國學院新設的國學會會
長，並主持國學院每月一次的公開學術講演[43]。指其尊孔，固然言之
有據，責其忽視國學，則是冤屈。陳嘉庚在經營失利的情況下不得已
削減經費，並非故意為難國學院。況且，按照魯迅批評國學研究的一

42　《國學研究院成立大會紀盛》，《廈門大學週刊》第159期，1926年10月16日。
43　《附設國學會簡章》，《廈門大學週刊》第165期，1926年12月2日；《國學院學術講
　　演》，《廈門大學週刊》第164期，1926年11月20日。

貫觀點，重視理科及其它有用的新興社會人文學科也是順理成章。在五四新文化提倡科學的思潮鼓動下，自然科學與社會科學有所發展，廈門大學的科學，並不僅僅落實在整理國故一點。在這方面，國學院內相互衝突的各派幾乎一致對外，為了學科的發展合情合理，但與校方及理科的矛盾充其量只是利益難以協調，非要在校院雙方分出個是非對錯，恐怕就有些強詞奪理了。

　　關於1920年代的國學研究，除主流派提倡以科學方法整理國故外，意見頗為分歧。或堅持保存國粹，或要求棄舊從新，或主張捨己從人。大體而言，陳源和魯迅都不贊成甚至反對過於重視國學研究，而主張研究科學[44]，與顧頡剛的以學問為主業、視國學為科學的一部分大有分別。廈門大學當局雖然追隨時流，回應南北國立各校設國學研究院，卻並非單從保存國粹一面立論。該校國文系原聘有國學大家陳衍為教授，與東南大學、無錫國學專修館等主張保存國粹的機構和學者保持密切聯繫。1925年，該校部分教員學生「因國學淪亡，斯文道喪，特與海內聞人組織國學專刊社，以整理國故，發揚文化為己任」，先後入社者達50餘人，由陳衍為主任，葉長青為社長，葉培元為經理。其宣言稱：「疋音不作，國聞陵夷，淺學者方以國學為艱深，為無庸，從而宰割之，魄鄙之，狂妄者資以煽惑，俾快厥肌，其

---

44 1927年，陳源在整理國故運動引起爭議時曾公開表態：其一，「對於『整理國故』這個勾當，壓根兒就不贊成。」其二，「現在還沒有到『整理國故』的時候」。其三，「現在的國故學者十九還不配去整理國故。」（《整理國故與『打鬼』》附錄一《西瀅跋語》，《現代評論》第5卷第119期，1927年3月19日。魯迅對於整理國故的態度則較為複雜，他批評「學衡」派以「昌明國粹」抵制新文化運動，嘲笑京滬兩地新舊各派「假的國學家」，對胡適提倡整理國故也有所譏諷，針對梁啟超、胡適等人開列國學書目的做法，主張少或不看中國書。但他與北大國學門有所聯繫，收看寄贈的《國學季刊》，並為該刊設計封面，不反對王國維那樣的「真的國學家」，參與1924年西北大學以國學為主題的暑期學校講演，又任廈門大學國學院教職，絕非一概否認新國學。

勢日千里，其害甚於洪水猛獸。」[45]陳衍於1925年10月告假，後又辭職回裏，其高足葉長青也移席金陵大學，稍後廈大籌建國學研究院，並未延續其所開闢的路徑，而是選擇了代表學術新潮的北京大學國學門作為趨向，這不能不說廈大校方的見識自有其過人之處。

此外，指責理科侵入國學院，如劉樹杞擔任國學院顧問，一般而言當然不合規矩。但廈門大學國學院的發端，並非由北京大學諸人南下開始。早在1925年底，該校就成立國學研究院籌備總委員會，由林文慶任主席，擔任委員的有教育系主任孫貴定、預科主任徐聲金、商科主任陳爍、文科及法科主任黃開宗、理科主任劉樹杞、植物系主任鍾心煊、以及理科的秉志、文科的毛常、王振先、塗開輿、陳定謨、繆子才、龔惕庵和外籍教師戴密微。[46]12月19、20兩日，總委員會連續開會，修訂國學研究院章程。

根據1926年1月2日公佈的《廈門大學國學研究院組織大綱》，該院為「研究中國固有文化」而設，其研究目標，既包括「從書本上搜求古今書籍或國外佚書秘笈及金石骨甲木簡文字為考證之資料」，也包括「從實際上採集中國歷史或有史以前之器物或圖繪影拓之本及屬於自然科學之種種實物為整理之資料」，並以後者為首要。為此，該院分設歷史古物、博物（指動植礦物）、社會調查（禮俗方言等）、醫藥、天算、地學、美術（建築、雕刻、瓷陶漆器、音樂、圖繪、塑像、繡織、書法）、哲學、文學、經濟、法政、教育、神教、閩南文化研究等14組。[47]

由此可見，包括理科在內的其它學科不僅一開始就參與廈大國學院的組織，而且實際分擔研究領域。國學研究並非北大南下同人的專

---

45 《國學專刊出世之先聲》，《廈門大學周刊》第137期，1926年1月23日。

46 《國學研究院籌備總委員會》，《廈門大學周刊》第132期，1925年12月19日。

47 《廈門大學周刊》第134、135期，1926年1月2、9日。

利。秉志等人「平日以為在中國大學領導學生，必須各門學科皆精通，斯能為廣大教主，故對於動物學中之各部門如解剖學、生理學、分類學、遺傳學皆有甚深之造詣。涉獵所及，如英國文學與哲學，亦皆有心得」[48]。理科過問國學院事務，即使不是言之成理，至少也算師出有名。

三　學派與政爭

廈門大學國學院風波，就事件本身而言或許並無深刻的實質意義，但放寬眼界，此事背後則蘊含著中國政治與學術重新分化組合的重要轉折。如何處理二者的關係，確是當時中國學人面對的一大難題。

五四新文化運動所提倡的新思想、新文化，在形式和內容上都是政治與學術相混合的產物。因而不同派系和觀念的人物可以組合到一起。隨著形勢的變化和矛盾的發展，認識的歧異自然而然地變得難以協調，離異甚至分裂在所難免。

新文化運動的核心主要是北京大學的一批學者，其內部大致可分兩派，一是民初尤其是蔡元培長校以來逐漸取代桐城派而興的太炎門生，一是陳獨秀、李大釗、胡適等新進。後來陳、李二人脫離北大，胡適無形中成為後一派的代表。雙方對於學術和政治的看法互有異同，在面對校內外反對勢力時還能一致對外，但在許多問題上不僅存在分歧，而且時有衝突，甚至各派內部（尤其是後一派）意見也不統一。由此演變而來的北京大學內部的黨派糾葛，如法日派與英美派、語絲派與現代評論派、浙籍與他省等，相互纏繞，異常複雜，令不少學人將任教北大視為畏途。

---

48 胡先驌：《京師大學堂師友記》，王世儒、聞笛編：《我與北大——「老北大」話北大》，第22頁。

在籍在系的魯迅，只是北大的講師，嚴格說來，並非北大派的正牌。不過他與陳源的衝突，確實反映了北大派內部的進一步分裂。對於魯迅、陳源、周作人之間「深仇也似」的筆戰，儘管胡適寧可相信各自動機的「正誼」，仍直言離題越來越遠，是無意義的無頭官司，是減損自己的光和熱的自相猜疑，自相殘害。他呼籲論戰各方：「我們的公敵是在我們的前面；我們進步的方向是朝上走。」「不要回頭睬那傷不了人的小石子，更不要回頭來自相踐踏。」[49]魯迅雖然沒有公開批駁胡適，對於諸如此類的論調絕對不以為然。從他對林語堂、周作人、陳源等人的尖銳抨擊與諷刺，可以想見胡適的主張必然在其鋒芒所向的範圍之內，也是屬於正人君子的假面。

歷史的進程似乎印證了魯迅的正確，換一角度看，魯迅的堅決和徹底在某種程度上正是中國社會矛盾和階級衝突日益激化的反映。在此背景下，新文化派被迫離開生息已久的北京，一年後，南方原本聯合北伐的革命陣營大分裂，而魯迅的堅決對敵被視為革命者應當具有的立場和精神。不過，這幾年中國社會矛盾與階級衝突的激化，並非常態，在一定程度上迫使鬥爭偏離了民主革命的軌道或超越其範圍，將敵我友的劃分帶入極限。而且魯迅直接攻擊的對象，與公認的敵人之間還存在許多曲折。其毫不留情固然體現了魯迅的性格，但所抨擊者究竟是敵或友，立場轉移之間，看法就有很大的分別。應當說，與魯迅論戰的各方，總體上還是同一戰壕中分離的派系，維繫統一戰線仍是上策，儘管社會矛盾激化的背景並不以人們的意志為轉移。

披露廈門大學國學院衝突內幕較多的《兩地書》出版後，朱自清讀完，「覺無多意義」，「魯罵人甚多，朱老夫子、朱山根（顧頡剛）、田千頃（陳萬里）、白果皆被罵及；連伏老也不免被損了若干次」[50]。

---

49 耿雲志、歐陽哲生編：《胡適書信集》上冊，第374-375頁。

50 朱喬森編：《朱自清全集》第9卷，第220頁。

魯迅抨擊陳源，背後還有章士釗的影子，與顧頡剛勢不兩立，作為個人恩怨倒也情有可原，作為路線標的，則至少有擴大化之嫌。而導致擴大的原因，除了與現代評論派的新仇，也不免夾雜「某籍某系」的宿怨。在那樣一個今是而昨非的日新月異的時代，相比於新派，太炎門生已有落伍之感，從舊營壘中殺出的魯迅超越新派而走向更加激進，人脈聯繫卻不免受舊的牽制，他對同籍同系的同情理解，顯然較別派要寬容得多。後來他再次北上，對於包括三沈二馬（除馬幼漁、沈兼士外）在內的舊日同道紛紛與現代評論派同流合污的態度，便是失望多於譴責。而在廈大時魯迅雖與共產黨人有所接觸，仍視國民黨為新潮，與顧頡剛「深感到國民黨是一個有主義、有組織的政黨，而國民黨的主義是切中於救中國的」[51]並無二致。

　　從學術的角度看，雙方的分歧更加難以調和，同時也處處透露仍是以往矛盾的擴大。對於胡適、陳源等極力推崇的顧頡剛的《古史辨》，魯迅不以為然，全盤抹殺其思想和學術意義，極力諷刺挖苦，確有意氣用事的一面。以「整理國故」為號召的新國學研究，雖然在國內往往被激進派視為新文化運動的倒退，國際上的反應卻相當積極[52]。在外國人的眼中，它是文化更新的象徵，所體現出來的「打鬼」精神，從根本上動搖著以經學為主體的中國傳統思想與學術的根基。所以，整理國故不僅是在文學革命、思想改革之後繼續新文化運動，更是將精神文化的更新引向深層。作為整理國故的重要產品，《古史辨》一方面對中國古史乃至整個學術造成革命性震動，另一方面對青年心理發生大的影響。

　　現代中國學術的轉承，就主流而言的關鍵時期即在從北京大學國

---

51 中國社會科學院近代史研究所民國史組編：《胡適來往書信選》上冊，第426頁。
52 參見拙文：《五四新文化運動的國際反響》，臺北，政治大學文學院編印：《五四運動八十週年學術研討會論文集》，1999年版。

學門到中研院歷史語言研究所，其間宗旨和人脈的過渡，便是顧頡剛親歷其事並擔任重要角色的廈門大學國學院和中山大學語言歷史學研究所。廈門大學國學院繼承北京大學研究所國學門的宗旨，正如顧頡剛為廈大《國學研究院周刊》所寫《緣起》指出的：「我們知道如果不能瞭解現代的社會，那麼所講的古代社會便完全是夢囈。所以我們要掘地看古人的生活，要旅行看現代一般人的生活。」[53]依照陳以愛女士的理解，所謂掘地與旅行，也就是考古發掘和風俗調查。為此，廈大國學院成立了考古學會和風俗調查會。

顧頡剛專治古史，雖然不贊成排斥載籍的偏向，卻重視考古發掘無可替代的價值。尤其在民俗學的推廣方面，顧頡剛的南下起到至關重要的作用，成為當時民俗學運動的重要領導。與同時期的新國學各研究機構相比，為時不久的廈門大學國學院的學術成就固然趕不上北大和清華，卻不遜色於齊魯、燕京的國學研究所和東南大學國學院，在學術發展史上的地位甚至更為重要。如果說史語所的成立標誌著中國「新史學」的正式誕生，前此的北大國學門、廈大國學院、中大語史所正是催產的重要階段。其中顧頡剛的作用相當關鍵，可謂中國新史學的助產士。而魯迅在這方面的表現和貢獻則不盡人意。他本來對於國學研究基本持異議，迫於形勢，礙於友誼，勉強屈身，內心對國學院的事務並不熱心，對顧頡剛在廈大和中大期間徵求家譜縣志等新史學要項的工作嗤之以鼻，[54]雙方不斷發生磨擦，使本來有限的趨新學術力量不能攜手並進，客觀上使進行中的學術轉化難以順利實現。

不過，魯迅反對疑古辨偽，並不純粹出於派系之爭的私心。在這方面，胡適等人與北大的太炎門生存在重大分歧，只是雙方開始還能

53　引自顧潮編：《顧頡剛年譜》，第134頁。

54　《魯迅全集》第11卷，第545頁。

求同存異，彼此相輕的議論都在背後。後來則分歧公開化，以至於最終分道揚鑣。

　　早在北京大學研究所國學門成立之初，「代表全體」草擬《國學季刊發刊宣言》的胡適就因「不由我自由說話，故筆下頗費商量」，寫起來「頗費周折」。所擬宣言既表達了肯定清學成績，運用西學眼光來理解及重建國學的共識，又隱諱了多數太炎門生不以為然或持保留態度的疑古和評判國故是非的兩大分歧。[55]魯迅對《古史辨》冷嘲熱諷，指其「有破壞而無建設」[56]，很大程度上反映了多數太炎門生對於疑古的心非。而且雙方分歧的關鍵還不止於疑古一點。後來魯迅對臺靜農論及鄭振鐸，指出自己與胡適治學方法的根本不同：

> 「鄭君治學，蓋用胡適之法，往往恃孤本秘笈，為驚人之具，此實足以炫耀人目，其為學子所珍賞，宜也。我法稍不同，凡所泛覽，皆通行之本，易得之書，故遂孑然於學林之外，《中國小說史略》而非斷代，即嘗見貶於人。」[57]

　　那些「恃孤本秘笈」之類的著作，他認為只是抄撮史料而無史識。所指責「『現代』派學者之無不淺薄」[58]，與此密切相關。這背後顯然也有太炎門派的觀念。後來章太炎曾回答訪客的提問：「哲學，胡適之也配談麼？康、梁多少有些『根』，胡適之，他連『根』都沒有。」[59]無根即是淺薄。所謂淺薄，包括學行兩面。以學而論，胡適

---

55 參見陳以愛：《中國現代學術研究機構的興起——以北京大學研究所國學門為中心的探討（1922-1927），第226-253頁。
56 《魯迅全集》第12卷，第477頁。
57 《魯迅全集》第12卷，第102頁。
58 《魯迅全集》第11卷，第187頁。
59 周黎庵：《記章太炎及其軼事》，陳平原、杜玲玲編：《追憶章太炎》，第570頁。

的以科學方法整理國故大體屬於「懸問題以覓材料」的發現主義，而
太炎學派看來，「中國之學，不在發見，而在發明」[60]，即王國維所說
讀書以發現問題，才是治學的正道[61]。讀書為博通之基，找材料則難
免偏窄之弊，其間的差異，正是學問的深淺之別。

胡適、顧頡剛等人早年治學，多先立論，再補充材料，本末倒
置，確有懸問題以覓材料之嫌，所鼓吹的疑古辨偽即不免看朱成碧之
譏。但他們看來，卻是學術上推陳出新的必由之路。如果說近代思想
領域的革故鼎新往往拉孔子為今人的墊背，在學術界，破舊的矛頭卻
一定指向依然得勢的權威。浙派的宗師章太炎，自然在目標之列。顧
頡剛即坦言不會以「排擠魯迅們來成全自己」，因為後者還不夠格。
「我豈無爭勝之心，但我的爭勝之心要向將來可以勝過而現在尚難望
其項背的人來發施。例如前十年的對於太炎先生，近來的對於靜安先
生。我要同他們爭勝，……要達到我的爭勝之心，要創造出些新事
務。」[62]其創新不僅限於提出新的觀點，而且要在受西方傳來的科學
教育的基礎上，「把中國昔日的學術範圍和治學方法根本打破、根本
換過」，造成「知識上思想上的一種徹底的改革」[63]。

這種根本改變的最徹底和直接了當的表述，便是傅斯年1928年發
表的《歷史語言研究所工作之旨趣》。這篇被許多人視為新史學宣言的
文章，有關本篇宏旨值得特別注意的有兩點，一是點名批評「章炳麟
君一流人屍學問上的大權威」，二是宣稱「歷史學不是著史」，「近代
的歷史學只是史料學」。「西洋人作學問不是去讀書，是動手動腳到處

60 《留學時代》，《吉川幸次郎全集》第22卷，第421頁。

61 周光午：《我所知之王國維先生──敬答郭沫若先生》，陳平原、王楓編：《追憶王
    國維》，中國廣播電視出版社1997年版，第165頁。

62 1927年7月4日致葉聖陶，引自顧潮：《歷劫終教志不灰──我的父親顧頡剛》，第
    114-115頁。

63 《中山大學語言歷史學研究所年報序》。

尋找新材料，隨時擴大舊範圍」，所以要「改了『讀書就是學問』的風氣」，不作讀書的人，「只是上窮碧落下黃泉，動手動腳找東西」[64]。儘管這時顧頡剛與傅斯年的關係已經破裂，此文仍然可以視為胡適一派學術方向發展的必然結果。在此之前，顧、傅二人的學術見識相當一致，以至於出自顧頡剛手筆的《國立中山大學語言歷史學研究所周刊發刊詞》，被同時代的董作賓誤認為傅斯年的作品。兩人分手出於對史語所的工作設想不一致，細究其不一致之處，在《歷史語言研究所工作之旨趣》中有所體現，如關於宗旨負面的三點，即反對國故的觀念，反對疏通，反對普及。但該文代表全體籌備員發言，正面表述的各點，仍在史語所兼職的顧頡剛並未表示反對。

中研院史語所在近代中國學術史上的重要位置，勿庸置疑，新史學也的確開闢了一代風氣。然而，由此而來的學術研究日益走向窄而偏的趨向，導致中國學術整體上陷入捨己從人的狹境，所滋生的流弊貽害匪淺。廈門大學國學院中魯迅與顧頡剛的合作與分歧，學術方面恰好反應了胡適派與太炎派的異同消長。如果當年雙方能夠相互取長補短，中國學術的發展或者可以進入「一方面吸收輸入外來之學說，一方面不忘本來民族之地位」[65]的相反而適相成的良性迴圈。可惜社會矛盾的激化不容學者雍容應對，在彼此衝突中各執一端，偏離了應有的正軌。其中的無奈，令人痛惜之餘，值得深刻反省。

64　《歷史語言研究所集刊》第1本第1分。
65　《馮友蘭中國哲學史下冊審查報告》，《陳寅恪史學論文選集》，第512頁。

第十章
胡適與《水經注》案探源

　　胡適後半生用了近20年時間致力於「《水經注》案」的研究，成果包括論文、序跋百餘篇和函札數十封，佔其身後印行的《胡適手稿》60%的篇幅。據說「在酈學研究中，以論文而言實無出其右。」[1]但《水經注》專家陳橋驛將歷來一切酈學家分為考據、詞章、地理三派，胡適卻不歸屬其中任何一派，因而認為以其聲名氣派與實際貢獻相比，建樹實在不足稱道。胡適研究專家耿雲志也說：「胡適的研究，對《水經注》本身並無創見」[2]。原因在於其著述目的不在《水經注》，而是為了重審「趙戴《水經注》案」。然而，即使在這方面，胡適也沒有獲得預期成果，反而在研究群中進一步激起無休無止的論戰，將酈學引向歧途，留下不少惹人非議的口實，以致有人指責其「於趙戴公案，雖力為辯白，亦終難取信於人，徒增糾紛」；「耗二十餘年精力，為茲枝節問題，雖曰求是，實於酈書何干？亦費詞矣」[3]。然而，問題在於，絕頂聰明如胡適，何以會窮半生之功力長期沉溺於此很難有個水落石出的擾人公案？如果僅僅從胡適的全力以赴和費力不討好的結果看，豈非有侮辱其智慧之嫌？儘管學者已經注意探究胡適

1　陳橋驛：《胡適與〈水經注〉》，《〈水經注〉研究二集》，山西人民出版社1987年版，第67頁。

2　陳清泉等編：《中國史學家評傳》下，鄭州，中州古籍出版社1985年版，第1399頁。

3　吳天任：《胡適手稿論〈水經注〉全趙戴案之商榷》，汪宗衍：《趙戴〈水經注〉案小記》，均見吳天任纂輯：《〈水經注〉研究史料彙編》下冊。引自陳橋驛《胡適與〈水經注〉》，《〈水經注〉研究二集》，第88頁。

治《水經注》案的動機，卻迄未得出令人信服的解釋。顯然，既然胡適的目的不在《水經注》，揭示動機的答案也就不限於公案之內。欲求真相，須另闢蹊徑。在此擬借胡適考據如斷獄之說，廣泛搜求證據，重加審理，以圖接近事實。

一　作案動機

一般認為，胡適研究《水經注》是出於鄉誼，為安徽鄉前輩戴震辨誣。這也是他本人主動交待的「作案動機」。他曾當眾聲明：「我審這個案子，實在是打抱不平，替我同鄉戴震（東原）申冤。」[4]然而，提倡皖人治皖學的胡適，畢竟已成中國新文化的權威，愛護鄉賢的畛域之見不能說絲毫沒有，卻很難成為鍥而不捨的動力支撐，令人懷疑其別有隱情而欲藉此掩飾。或者說，為戴震洗雪不白之冤只是表面的託詞，真實原因要深刻得多。

揭開此案的關鍵之一，首先是時間的判定。胡適在前後10餘年間，多次刻意強調他重審《水經注》案，是從1943年開始。[5]因為這年的11月，王重民致函胡適，並寄呈所撰《水經注箋趙一清校本提要》一文。胡適在來函上批道：

> 「重民此信與此文。作於民國卅二年十一月，寄到後，我寫了長信給他，表示此案並不已成定讞，後來我費了五、六年工夫來重審此案，都是重民此信惹出來的。」[6]

4　《水經注考》，歐陽哲生編：《胡適文集》12，北京大學出版社1998年版，第165頁。

5　參見胡適：《治學方法》，歐陽哲生編：《胡適文集》12；《評論王國維先生的八篇水經注跋尾——重審趙戴水經注案之一次審判》，《胡適手稿》第6集下冊。引自陳橋驛：《〈水經注〉研究二集》，下同。

6　《胡適手稿》第5集中冊，第227頁。

當時胡適還托王的夫人劉修業抄錄了他寫給王重民的兩封信，並且說明：「因為是我重審戴校《水經注》全案的開始，……留作一個紀念。」[7]加上1937年胡適曾致函編輯北京大學《國學季刊》的魏建功，談到他對孟森有關論文的看法，說：

> 「我讀心史兩篇文字，覺得此案似是已定之罪案，東原作偽似無可疑。古人說，吾愛吾師，吾尤愛真理。東原是絕頂聰明人，其治學成績確有甚可佩服之處，其思想之透闢也是三百年中數一數二的巨人。但聰明人濫用其聰明，取巧而諱其所自出，以為天下後世皆可欺，而不料世人可欺於一時，終不可欺於永久也。」[8]

勸魏不必懷疑孟森的判斷。因而有學者相信前此胡適對該案未曾懷疑。[9]

但也有學者察覺到胡適開始注意《水經注》案的時間早於上述。因為楊家洛在《水經注四本異同舉例》一文中說：「民國二十五年（1936年），胡適之先生過滬，謂將為東原撰冤詞。」認為儘管胡適標榜「大膽懷疑」，總要有過一番研究，才知道戴震有冤。[10]對於1937年的致魏建功函，有的學者細心地注意到，胡適「用了一個『似無可疑』的詞來表達自己的意思，這又說明他對此案並非完全同意，還有保留的餘地。」[11]比較1943年胡適復王重民函，可見這種揣測並非無

7　耿雲志、歐陽哲生編：《胡適書信集》中冊，第923-924頁。

8　耿雲志、歐陽哲生編：《胡適書信集》中冊，第713-714頁。

9　耿雲志：《胡適》，《中國史學家評傳》下，第1396頁。

10　陳橋驛：《胡適與〈水經注〉》，《〈水經注〉研究二集》，第67頁。

11　白吉庵：《胡適傳》，人民出版社1993年版，第412頁。

中生有。胡適說：

> 「前幾年，當孟心史的文章發表後，我曾重讀靜安先生的《戴
> 校水經注跋》。那時我很覺得此案太離奇，多不近情理之處，
> 其中也許有別情，為考據家所忽略。如《大典》本具在，東原
> 並不曾毀滅此本以掩其跡，他豈不知此本終有他人用來校勘之
> 一日？又如全、趙之書也都存在，趙書且已進呈，且已著錄
> 《四庫》，東原豈能盡抹殺諸家之書？況且此種行為，在當日
> 直是『欺君』大罪，東原豈不知之？《四庫》館臣豈能都不知
> 之？凡此諸點，都太離奇。我久想將來搜集此案全卷，再作一
> 次審問，以釋我自己的疑惑。」[12]

　　由此可見，1937年胡適並不認為孟森所論為「已定之罪案」。兩
函態度的明顯反差，似不宜以時間的早晚為正誤決斷。因為不僅有前
引楊家洛回憶1936年胡適過滬時和他的談話，更因為胡適致王重民函
所說因孟森文章發表而重讀王國維文、「久想」重審此案以及所舉諸
疑點，均非興之所致的隨口道來。1943年11月18日胡適致函楊聯陞，
也談及此事，說：

> 「我向來對此案不曾說一句話，但總覺得此中情節甚離奇，值
> 得重審一次。可惜我從不曾讀過《水經注》一遍，所以總沒敢
> 發言。這回我因重民一文，決意重讀此案全卷，作一次偵
> 查。」[13]

---

12 耿雲志、歐陽哲生編：《胡適書信集》中冊，第914頁。
13 《論學談詩二十年——胡適楊聯陞往來書劄》，臺北聯經出版事業公司1998年版，
　　第6頁。

　　則動手審案雖在1943年以後，關注案情卻在此之前。至於復魏建功函，胡適後來承認當時「還不懂得校勘學」，所以「率爾」作答。[14]但揆諸史實，事情絕非如此簡單。

　　不少學者已經注意到，胡適關心《水經注》一書，為時早到1924年紀念戴震誕辰200週年之際。從1923年下半年起，由研究系的講學社和北京大學文科研究所國學門等機構共同發起籌畫，擬舉行多種學術紀念活動。1924年1月19日（陰曆十二月二十四日），在安徽會館舉行了紀念會。[15]會議由胡適主席，梁啟超、沈兼士、錢玄同、朱希祖、伊鳳閣（A.I.Ivanov）等人發表學術演講，其中朱希祖的演講即談《水經注》的版本問題，他為戴震辯護，認為全謝山、趙一清、戴震三家對《水經注》一書均有貢獻，無所謂誰剽竊誰之一說。[16]其時王國維恰好校得傅增湘所藏殘宋本《水經注》及孫潛夫校本，知前此所校蔣汝藻藏「大典本乃全自宋刊本錄出」[17]，復取多種刊本校本及相關史料比勘，確認戴震抄襲剽竊而有意毀跡遮掩，撰成《書戴校水經注後》一文，指斥其非。他還進而對戴震的人格予以尖銳批評，指責「東原學問才力固自橫絕一世，然自視過高，騖名亦甚。」「其著他書亦往往述其所自得而不肯言其所自出」。「凡此等學問上可忌可恥之事，東原胥為之而不顧，則皆由氣矜之一念誤之。」是文被視為歷來斥責戴震剽竊的最嚴厲的文章之一。

　　更值得玩味的是，王國維公開聲明：

14　耿雲志、歐陽哲生編：《胡適書信集》中冊，第714頁。

15　《晨報副刊・東原二百年紀念號》1924年1月19日。

16　白吉庵：《胡適傳》，第210頁。

17　1924年1月31日《致蔣汝藻》，吳澤主編，劉寅生、袁光英編：《王國維全集・書信》，第388頁。

「平生尚論古人，雅不欲因學問之事傷及其人之品格。然東原此書方法之錯誤，實與其性格相關，故縱論及之，以為學者戒，當知學問之事，無往而不當用其忠實也。」[18]

這種異常言行不能不引起生性敏感的胡適的注意，他後來指出：王的用意在於表明「似乎很不贊成我們那種稱頌戴震及『戴學』的態度」，是以「對於戴震的人格的一個最嚴厲的控訴」，表示「對於我們提倡『戴東原二百年紀念』的人的一個最嚴厲的抗議」。[19]

王國維文章中對戴震思想貢獻的非議，顯然是針對紀念派而發，認為：

戴震「一生心力，專注於聲音訓詁名物象數，而於六經大義，所得頗淺。晚年欲奪朱子之席，乃撰《孟子字義疏證》等書，雖自謂：『欲以孔孟之說，還之孔孟，宋儒之說，還之宋儒。』顧其書雖力與程朱異，而亦未嘗與孔孟合。」[20]

王肯定戴震在經史學上的貢獻，稱之為清代乾嘉之學的開創者。[21] 而胡適在1924年1月發表於《讀書雜志》第17期的《戴東原在中國哲學史上的地位》一文則認為，戴震不僅是清代考據學的第一大師，也是近800年來中國思想史上與朱熹、王陽明齊名的極重要人物，是朱子以後的第一個大思想家、大哲學家。胡適聽說王國維論戴震《水經注》一文撰成，致函索稿，並且表示：《國學季刊》「此次出東原專

18　《聚珍本戴校水經注跋》，《觀堂集林》卷十二，《王國維遺書》第一冊，第596頁。

19　《胡適手稿》第六集，下冊，臺北，胡適紀念館1969年版。

20　《聚珍本戴校水經注跋》，《觀堂集林》卷十二，《王國維遺書》第一冊，第594頁。

21　《沈乙庵先生七十壽序》，《觀堂集林》卷二十三，《王國維遺書》第二冊，第583頁。

號，意在為公平的評判，不在一味詆揚。聞尊文頗譏彈東原，同人絕不忌諱。」[22]但內心並不以王國維貶抑戴震思想的看法為然。王國維的文章發表不到半年，胡適便在《國學季刊》刊出長文《戴東原哲學》，進一步申述戴震不講宋明理學之「理」、即幾千年因襲下來的成見與習慣的重大意義。關於王國維作為主要抨擊依據的戴震竊書案，胡適雖然因為尚未完整讀過《水經注》而不敢妄加評議，卻心存芥蒂。1944年1月他寫信給王重民說：

> 「故我們從此案所得的教訓是：不要動火氣，不要急於發表文字；在攻擊人之先，先涼涼去。我為此事，涼了十多年。今日天假之緣，始得搜集證據，重審此案。」[23]

這顯然不是指1937年魏建功來函談孟森論文事，而是將近20年前紀念戴震的一段過節。由此可見，王國維其實是促使胡適留心《水經注》案的關鍵人物。所以胡適的第一反應不是針對孟森的新作，而是重讀王國維的舊文引出疑點。

二　案中有案

時間確定後，應當澄清的是兩位當事人的關係。其間隱藏著破解此案的重要線索，甚至是案中有案。

王國維在世之日，可以說是令胡適最為佩服的學者。1922年8月28日，胡適在日記中寫到：

---

22 耿雲志、歐陽哲生編：《胡適書信集》上冊，第329頁。
23 耿雲志、歐陽哲生編：《胡適書信集》中冊，第944頁。著重號為原有。

「現今的中國學術界真凋敝零落極了。舊式學者只剩王國維、
羅振玉、葉德輝、章炳麟四人；其次則半新半舊的過渡學者，
也只有梁啟超和我們幾個人。內中章炳麟是在學術上已半僵
了，羅與葉沒有條理系統，只有王國維最有希望。」[24]

這時上海的《密勒氏評論報》（The Week by Review）正在舉辦讀
者選舉「中國今日的十二個大人物」的活動，每周公佈一次結果。胡
適對11月上旬的兩次評選十分不滿，指責舉辦者「不很知道中國的情
形」，並代擬了一份名單，其中第一組學者3人，為章炳麟、羅振玉、
王國維，而將梁啟超列入影響近20年全國青年思想的第二組4人之
中。《密勒氏評論報》選舉，梁、章、羅各得105、73、4票，王國維
則一票未得。但在胡適看來，「章先生的創造時代似乎已過去了，而
羅王兩位先生還在努力的時代，他們兩位在歷史學上和考古學上的貢
獻，已漸漸的得世界學者的承認了。」[25]而且胡適很清楚，這種承認
並非徒有虛名，1926年胡適在法蘭克福中國學院聽國際漢學泰斗伯希
和演講中國戲劇，知其所用材料多出於王國維的著作。[26]胡、王二人
在北京時一度居處頗近，過從甚密。坊間傳聞當時梁啟超來訪，胡適
只送到房門口，王國維來則送至大門口。[27]其實胡與梁的交往比王密
切得多。

胡適推崇王國維，代表了北京大學一班學者的共識。1917年蔡元
培執掌北京大學後，屢托馬幼漁、馬衡等人禮聘王國維任文科教授，

24 中國社會科學院近代史研究所中華民國史研究室編：《胡適的日記》，第440頁。

25 《誰是中國今日的十二個大人物》，《努力周報》第29期，1922年11月19日。

26 中國社會科學院近代史研究所中華民國史研究室編：《胡適日記》手稿本，1926年
　　10月26日。

27 胡頌平編：《胡適之先生晚年談話錄》，第85頁。

均為其婉拒。文科研究所國學門成立後，改聘為函授導師。王勉強應承。[28]當時胡適標榜以科學方法整理國故，而王國維「所著書，以新法馭古學，凡所論斷，悉為創獲」[29]，令人刮目相看。1922年8月26日，胡適在與日本學者今關壽麿談論中國學術界狀況時說：「南方史學勤苦而太信古，北方史學能疑古而學問太簡陋，將來中國的新史學須有北方的疑古精神和南方的勤學工夫。」儘管他認為「中國今日無一個史學家」[30]，但兩天後就指出，王國維是能夠兼採南北之長的最有希望之人。北大派中的後進如古史辨主將顧頡剛和鄭奠等人，紛紛登門拜訪，願執弟子禮。[31]

　　北京大學創刊《國學季刊》，主持其事的胡適認為：「不登王國維的論文就沒有意思了」，結果第1期同時刊登王國維的論文《五代監本考》及其翻譯伯希和的《近日東方古言語學及史學上之發明與其結論》，胡適並親自為後文加上標點。據說開始王國維不同意將自己的論文刊登在橫排版的雜誌上，後來是敬重胡適的為人，稱為今日學界

---

28 吳澤主編，劉寅生、袁光英編：《王國維全集·書信》第234-235、312-313、323、326頁致羅振玉、馬衡等函；袁光英、劉寅生編《王國維年譜長編》第319頁致馬幼漁函。因王國維拒不應聘，國學門籌建時本來只擬聘請羅振玉為考古學研究室通信導師（《北京大學日刊》第968號，1922年2月27日）。後增聘王國維，有人說是胡適的建議（《王國維年譜長編》，第343頁）。孫敦恒《王國維年譜新編》（中國文史出版社1991年）稱：1924年4月6日王國維致書蔣汝藻告以北京大學研究所欲聘他擔任主任，而不願就（第131頁。函見《王國維全集·書信》第394頁）。實則是函所指為日本所謂東方文化事業計劃中的北京文科研究所主任。

29 王熙華：《顧頡剛致王國維的三封信》，《文獻》第15輯。

30 中國社會科學院近代史研究所中華民國史研究室編：《胡適的日記》，第438頁。

31 鄭良樹編著：《顧頡剛學術年譜簡編》，第37-38頁；劉起釪：《顧頡剛先生學述》，中華書局1986年版，第283-284頁。王國維雖然稱二人「為學尚有條理」，「亦能用功」，卻認為「風氣頗與日本之文學士略同」。吳澤主編，劉寅生、袁光英編：《王國維全集·書信》，第325頁。

最佳，礙於面子，最後才勉強妥協。[32] 1924-1925年清華研究院籌備之際，胡適力薦王國維，並作為校方和王國維之間的中介，盡力調解疏通，促成其事。[33]圍繞戴震評價的意見分歧，似乎並未影響兩人的關係。

其實，王國維的《書戴校水經注後》一文並未如期在《國學季刊》登出。1924年7月，清室載洵在所佔北京西山大覺寺南的大宮山拆塔建園，北大國學門考古學會聞訊，認為該塔為明代建築，應當保存，先後派顧頡剛、容庚、徐炳昶、李宗侗等前往調查，並發表宣言，除呼籲亟起阻止外，鑒於該地為溥儀在民國年間私贈載洵，要求請法學專家討論溥儀私占官產古跡的處理問題。[34]王國維閱報大為激忿，致函國學門及考古學會負責人沈兼士、馬衡，表示抗議之外，要求取消導師名義，並撤回胡適索去的《書戴校水經注後》等文。[35]北大方面沒有因此而妥協讓步，1924年9月，報載清室因經費不足，欲拍賣大批古董寶物給外商，北大國學門委員會函請「將此事提出國務會議，派員徹底清查，務須將盜賣主名者，向法廳提起訴訟，科以應得之罪，並速設法將故宮所藏之器物，悉數由民國收回，公開陳列，以供眾覽」[36]。兩個月後，馮玉祥發動北京政變，驅逐溥儀出宮，並將古物收歸國有，交民國政府保管，北大的公意不無作用。

對於北大的窮追猛打，王國維不會袖手旁觀，無動於衷。他殉死不成，1925年6月，將《書戴校水經注後》標名《聚珍本戴校水經注

---

32 《學問の思い出——橋川時雄先生を圍んで》，《東方學》第35輯，1968年1月；中國社會科學院近代史研究所中華民國史研究室編：《胡適的日記》，第318頁。

33 耿雲志、歐陽哲生編：《胡適書信集》上冊，第353-356頁。

34 《研究所國學門考古學會保存大宮山古跡宣言》，《北京大學日刊》第1514號，1924年8月9日。

35 吳澤主編，劉寅生、袁光英編：《王國維全集・書信》，第407頁。

36 《北大請禁溥儀拍賣文物》，《晨報》1924年9月23日。

跋》，連同相關數文冠以《水經注跋尾》總題，刊登於《清華學報》第2卷第1期。王國維特意署明寫於甲子二月，其間是否因上述事件而動了正誼之氣，影響及於論文的內容，已不可考。值得注意的是，胡適對於戴震哲學的看法，開始很可能還受到王國維的啟發或支持。早在1904年，王國維就撰寫了《國朝漢學派戴阮二家之哲學說，認為清代漢學大行，從前談程朱陸王者屏息斂足，不敢出一語。乾嘉學術與東漢比隆，「然其中之钜子亦悟其說之龐雜破碎無當於學，遂出漢學固有之範圍外，而取宋學之途徑，於是孟子以來所提出之人性論復為爭論之問題。其中之最有價值者如戴東原之《原善》、《孟子字義疏證》、阮文達之《性命古訓》等，皆由三代秦漢之說以建設其心理學及倫理學。其說之幽元高妙自不及宋人遠甚，然一方復活先秦之古學，一方又加以新解釋，此我國最近哲學上唯一有興味之事，亦唯一可紀之事也。」

戴氏哲學本身存在矛盾，阮元不過全祖其說而有所增益。「二氏之意，在申三代秦漢之古義以攻擊唐宋以後雜於老佛之新學。戴氏於《孟子字義疏證》外，其攻擊新學尤詳於《答彭進士書》」。更有趣的是，當時王國維對於戴的弟子段玉裁評論《孟子字義疏證》「以六經孔孟之旨還之六經孔孟，以程朱之旨還之程朱，以陸王佛氏之旨還之陸王佛氏」擊節讚歎：「誠哉此言也」[37]。這與後來王國維在《聚珍本戴校水經注跋》中對戴著的評價可以說是截然相反。

王國維早年的思想學術後來大都完全轉折，但對戴震哲學的看法卻似乎延續了很長時間。紀念戴震誕辰學術活動的籌備期間，1923年12月16日，胡適拜訪王國維，兩人交談了一點多鐘，王國維首先對胡適說：「戴東原之哲學，他的弟子都不懂得，幾乎及身而絕」。胡適表

---

37 《王國維遺書》第三冊，第482頁。

示贊同：「此言是也。戴氏弟子如段玉裁可謂佼佼者了，然而他在年譜裡恭維戴氏的古文和八股，而不及他的哲學，何其陋也！」[38]此後胡適注意戴震弟子的著作，12月18日，「讀戴東原書後，偶讀焦循《雕菰樓集》，始知戴氏的哲學只有焦里堂真能懂得。」[39]次日，胡適立竿見影，寫成《戴東原在中國哲學史上的位置》一文，稱：「論思想的透闢，氣魄的偉大，二百年來，戴東原真成獨霸了！」但他的哲學「二百年來，只有一個焦循瞭解得一部分」[40]。可見直到此時，王國維不僅推崇戴震的經史之學，認為由戴震開創的乾嘉之學精，對其哲學也無貶意，而且很可能贊同胡適的發揚之舉。

　　這時胡適、梁啟超等人鼓吹戴震的紀念活動早已在報刊上炒得沸沸揚揚，王國維對此似無異詞，沒有很不贊成「稱頌戴震及『戴學』的態度」的意思，更不要說一反常態地攻擊戴震的人格。1924年1月的紀念會，朱希祖的講演雖與王國維意見相左，但屬學術見解分歧，不致令後者大動肝火。王國維的不滿也似乎並非針對朱希祖。[41]他撰《戴校水經注書後》譏彈戴震，應當不到「痛罵」、「最嚴屬的抗議」和「最嚴屬的控訴」的程度。但在7月王國維因大宮山宣言而辭職撤稿之後，事情便根本變化。王致函沈兼士、馬衡，已指責其不明事理，發文痛罵戴震，也隱含言外之意。瞭解此案全部過程曲折詳情的

38　《胡適日記》手稿本。

39　《胡適日記》手稿本，1923年12月18、19日。

40　《讀書雜志》第17期。

41　其間王國維與朱希祖還相互交換有關書籍和研究心得。1924年3月25日王致函馬衡，告以「明抄《水經注跋》又增入抄本勝處一則，（共三紙，附上。）請轉致逷先兄，並請其飭人將原書取去。」吳澤主編，劉寅生、袁光英編：《王國維全集・書信》，第393頁；1925年1月5日胡適致函王國維，稱：「朱逷先〔先〕生甚盼先生校後為作一跋，特為代達此意。」耿雲志、歐陽哲生編：《胡適書信集》上冊，第353頁。

胡適後來一再指責王國維等人「大動了火氣」,「痰迷了心竅」[42],或為實情。只是令王國維動氣的原由不止一事,而且主因並非如胡適所指的紀念稱頌戴震。這樣,即使王國維真有借戴校《水經注》案指桑罵槐之意,所影射對象也不是胡適。因為胡適雖然贊成由民國接收清宮古物,卻不惜觸犯眾怒,公開要求保護清帝安全以及將清室財產公平折價。[43]這應當博得王國維的好感。因此,王國維在受聘清華國學院一事上,對胡適相當信任。1924-1925年間,胡適為編輯《詞選》研究詞的起源,與王國維多次通信討教,似為兩人關係最密切的時期。[44]否則,胡適再大氣量,也很難若無其事地與之保持良好交誼。

三　意在爭勝

胡適對王國維衷心佩服,在於後者的學問並世無雙,其實兩人在閱歷、交遊、政見、性格、處世、治學等方面,相去甚遠。胡適積極輸入西洋文明,王國維則認為西洋人過度提倡欲望,「必至破壞毀滅」[45]。王對北京大學的新潮學風不以為然,始終消極應付北大一廂情願的積極爭取,不欲與之有所接近,「以遠近之間處之」[46]。而胡適正是北大風氣的重要代表。但胡、王之間極少正面衝突,對於戴震哲學的分歧已是例外,責任還不一定由胡來負。因為他已經事先就此與

42　1944年1月7日《致王重民》,耿雲志、歐陽哲生編:《胡適書信集》中冊,第943頁。

43　1924年11月5日《致王正廷》,1924年11月28日《致李書華、李宗侗》,耿雲志、歐陽哲生編:《胡適書信集》上冊,第345-346、349-350頁。

44　《詞選自序》,《詞的起源》,《胡適文存三集》,上海,亞東圖書館1930年版,第997-1025頁;另參《胡適書信集》上冊致王國維各函。

45　《胡適日記》手稿本,1923年12月16日。

46　吳澤主編,劉寅生、袁光英編:《王國維全集·書信》,第394頁。

王國維交換過看法。他避開《水經注》案談戴震，除學術本身的制約外，不公開牴牾王當是顧忌的要素。

　　胡適對王國維的敬重一直持續到其身後，儘管他有時也善意地指出王早期關於詞曲研究中的某些小錯誤。但是從1934年起，他開始挑剔起王國維的學問來了。他在評議郭沫若《謚法之起源》時，批評「今日學者之過於大膽，敢用未認得的金文來做證據」，順手將王國維牽出，認為其「用不全認得的古器文字之方法似尚有可議耳」[47]。1935年又對他人比較自己著述與王國維的《人間詞話》表示異議，認為不應太重相同之點，強調自己的看法是歷史的，而王是藝術的，王的「境界」說以及「隔與不隔」，不如自己的「意境」說和「深入而淺出」講得清楚[48]。1943年重審《水經注》案前，胡適欲以王國維著《博士考》一文研究漢代經學變遷，「偶一下手，始知謹嚴如王靜安先生，亦不能完全依賴！」[49]重審該案後，胡適對王國維的批評似有日益增多之勢，遣詞用字也時有過當甚至逸出情理處。如1944年2月1日他致函王重民，用「一犬吠影，百犬吠聲」形容戴案緣起，將王國維打入「吠聲」之列，以至引起王重民的不安。雖然胡適本人曾頗費躊躇，擱置數日才寄出，但善於文辭如彼，若心平氣和，找到恰當詞彙當不是難事。[50]如此一反常態，令人懷疑胡適自己也動了正誼之氣。而動氣的原由，顯然不是220年前的戴震，甚至不是20年前的紀念戴震。

　　近來有學者指出：「胡適重審《水經注》學術公案，雖然有幾分

47　1934年8月7日《致丁聲樹》，耿雲志、歐陽哲生編：《胡適書信集》中冊，第624-625頁。

48　1935年7月26日《致任訪秋》，耿雲志、歐陽哲生編：《胡適書信集》中冊，第651-652頁。

49　1943年4月5日《致王重民》，耿雲志、歐陽哲生編：《胡適書信集》中冊，第884頁。

50　耿雲志、歐陽哲生編：《胡適書信集》中冊，第960、963頁。

為鄉先賢翻案申冤的動機，但是，他全力介入此案，用意實在比『愛護鄉賢』要深得多。」「胡適的重審，值得人們注意的，是他在此過程中多次強調的尊重事實，尊重證據，實事求是的治學方法。……胡適正是要借《水經注》這一海內外學界矚目的學術公案之重審，大力宣揚自己治學方法的。也許這倒是胡適熱心《水經注》案的更深用意。」[51]此較鄉誼說前進一大步，胡適本人就曾聲明：「我所以要做這個工作，並不是專替老鄉打抱不平，替他做律師，做偵探」，而是要解說治學的方法。[52]

但此說似還有潛因未曾觸及。其一，講方法是胡適一生治學的主宰，[53]《胡適文存》第1集出版時，他在自序中就強調：「我這幾年做的講學的文章，範圍好像很雜亂，目的卻很簡單。我的唯一的目的是注重學問思想的方法。」《水經注》案充其量只是案例的不同。至於宣傳效果，並不一定優於其它。其二，儘管胡適提倡科學方法，其治學不外傳統的訓詁、校勘和考據，[54]其實正淵源於戴震開創的乾嘉樸學。而同樣推崇戴震經史之學精的王國維，無論從哪方面看，樸學功夫都比胡適有過之無不及。兩人之間根本不存在方法異同之爭。除非胡適的目的並非以自己的治學方法與王國維的方法角逐，而是在同一方法之中爭個彼此的優劣高下，謀取這一方法營壘的盟主位置。這是改換案例的唯一好處，也正是胡適重審《水經注》公案的根本動機所在。也許王國維並非胡適矛頭所向的唯一對象，但至少是其中的代表性人物。

---

51 方利山：《胡適重審「《水經注》公案」淺議》，耿雲志、聞黎明編：《現代學術史上的胡適》，第128-138頁。

52 《治學方法》，歐陽哲生編：《胡適文集》12，第143頁。

53 唐德剛譯注：《胡適口述自傳》，上海，華東師範大學出版社1993年版，第94頁。

54 唐德剛譯注：《胡適口述自傳》第6章注2，第132-133頁。

　　提倡整理國故，是胡適生平所抱的三個志願之一，另外兩項為提倡新文學和提倡思想改革。但直到1930年底，胡適仍自稱「此三事皆可以『提倡有心，實行無力』八個字作我的定論」[55]。此言固然可以解釋為胡適的自謙，治學方面還可說是但開風氣不為師。不過，作為整理國故的宣導者，胡適治學的具體成就一直未得到學術界的公認。魯迅和郭沫若都曾直接間接地批評鼓吹者其實不配整理國故，而不約而同地將真正國學研究的桂冠戴到王國維的頭上，稱讚其方法的地道和優秀。[56]所批評的對象不一定包括胡適，但褒獎也沒有胡適的份兒。王國維在世時胡適也許還服氣，待到他坐上中國學術界領袖的位置，恐怕就不那麼自在了。學術領袖不以學術成名，畢竟令人感到艦尬。

　　引發胡適欲與已故的王國維爭勝的契機，應是1933年法國漢學家伯希和來華。伯氏是國際漢學祭酒，巴黎學派正統領袖，胡適早就知道「他是西洋治中國學者的泰斗，成績最大，影響最廣」[57]，並與之有所交往。胡適一直鼓吹學習西洋學者研究古學的科學方法，以「補救我們沒有條理系統的習慣」[58]。但伯希和這位真正能夠代表國際漢學界的大師，卻並不認為胡適是代表中國學術與世界潮流溝通的適當人選。離京前，伯希和在火車站對前來送行的中國學者陳垣、胡適、李聖章等人說：

---

55 《胡適日記》手稿本，1930年12月6日。

56 1922年11月6日魯迅在《晨報副刊》發表雜文《不懂的音譯》（二），中謂：「中國有一部《流沙墜簡》，印了將有十年了。要談國學，那才可以算一種研究國學的書。開首有一篇長序，是王國維先生做的，要談國學，他才可以算一個研究國學的人物。」

57 《胡適日記》手稿本，1926年8月24日。

58 《國學季刊發刊詞》，《國學季刊》第1卷第1號，1923年1月。

「中國近代之世界學者，惟王國維及陳先生兩人。不幸國維死矣，魯殿靈光，長受士人之愛護者，獨吾陳君也。」

伯氏此番來華，目的之一，是調查中國近年文史學的發展，「在平四月，遍見故國遺老及當代勝流，而少所許可，乃心悅誠服，矢口不移，必以執事（指陳垣）為首屈一指。」[59]這在當面聽來的胡適必是別有一番滋味在心頭。而且伯希和並非偶而吐真言，他一再於公眾場合聲明此意。據梁宗岱回憶，他在一次聚集了舊都名流學者和歐美人士的歡迎伯希和宴會上擔任口譯，「席上有人問伯希和：『當今中國的歷史學界，你以為誰是最高的權威？』伯希和不假思索地回答：『我以為應推陳垣先生。』我照話直譯。頻頻舉杯、滿面春風的胡適把臉一沉，不言不笑，與剛才判若兩人。一個同席的朋友對我說：『胡適生氣了，伯希和的話相當肯定，你也譯得夠直截了當的，胡適如何受得了，說不定他會遷怒於你呢。』這位朋友確有見地，他的話應驗了。我和胡適從此相互間意見越來越多」[60]。梁、胡交惡別有隱情，所記胡適對伯希和評語的反應則較為近真。

胡適選擇王國維而不以陳垣為對手，揣度原因，一則陳垣仍然在世，且與胡適新派的關係甚好，胡不願與之結怨[61]；二則陳垣嚴守史學界域，所治中外關係史，為胡適不大熟悉，而且少有動氣之作。王國維則橫跨文史哲，情感與理智衝突激烈。一旦胡適落花有意，便不時發現可議之處。他曾經指出：

---

59 陳智超編注：《陳垣來往書信集》，第96頁。

60 戴鎦齡：《梁宗岱與胡適的不和》，趙白生編：《中國文化名人畫名家》，第413-414頁。

61 陳垣與胡適交誼尚好，一些學者對此頗有異議。1934年陳垣作《元典章校補釋例》，請胡適作序，張爾田對陳垣說：「君新出書極佳，何為冠以某序？吾一見即撕之矣。」陳智超編注：《陳垣來往書信集》，第407頁。

　　「靜安先生治經學小學則甚謹嚴；治史學也甚謹嚴。但他的
　　《曲錄》則甚不謹嚴。⋯⋯用最嚴格的校勘考證方法來研究小
　　說戲曲，實始於胡適之、孫子書。」[62]

　　事實是否如此，人言言殊，胡適爭勝之意，則溢於言表。重審
《水經注》案前胡適欲針對王國維的《博士考》錯漏重寫《兩漢博士
制度考》，他函告王重民：

　　「此題舊有績溪胡秉虔一文，靜安先生頗譏評其多錯誤。現在
　　還得一個績溪胡某人來譏評王先生的大作，你不要笑我有心替
　　績溪老輩報復吧？」[63]

　　兩案情節如此相似，令人疑心胡適有意羅織罪名，借題發揮。
　　伯希和來華前半年的1932年6月2日，德國普魯士國家學院
（Prussian Academy of Science）函聘胡適為該院哲學史學部通訊會
員。當時中國報紙稱：「德國普魯士國家學院，與英國皇家學會齊
名。該學院會員，能為世界著名之權威學者。柏林大學教授佛郎克近
在該學院提議，通過選舉胡適博士為會員，實為東亞第一人。」一時
甚為轟動，教育部長朱家驊代表中國學術界致電申謝。[64]胡適覆函也
說：「這是在世界學術界的最大的榮譽之一種。我這個淺學的人很少
貢獻，這回接受貴會這樣獎掖，真使我十分感激又十分惶恐。」並以

62　耿雲志、歐陽哲生編：《胡適書信集》中冊，第920頁。
63　耿雲志、歐陽哲生編：《胡適書信集》中冊，第884頁。
64　中國革命博物館整理，榮孟源審校：《吳虞日記》下冊，第629頁。該院正式成員限
　　德國人，外國人只能做通訊會員。佛蘭克1923-1931年任柏林大學漢學教授，這時已
　　退休。

羊公鶴的典故，表示將努力在學術上多做貢獻。[65]

　　不過，胡適獲此殊榮，來歷卻頗為曲折。據深知內情的蔣復璁說，1930年他在柏林見到佛蘭克（Otto Franke）時，後者稱：「法蘭西學院已經舉了羅振玉先生做通訊員，我們─普魯士學術院本想舉王國維先生做通訊員，可惜死了。」問有什麼人可舉，蔣提出章太炎，但佛蘭克毫無所知，「他要這個人的學問是貫通中西的，要外國人知道」，於是蔣舉胡適，得到贊成。後蔣向胡適取得全部著作及經過提議審查及通過，足足費了一年多時間。[66]1933年伯希和在北平屢屢推崇王國維和陳垣，而絕口不提胡適，或是有所為而發。他於1926年在法蘭克福曾公開批評德國的中國學殊不如人，這次大概是隱指所舉非人吧。胡適後半生傾全力治《水經注》公案，多少有力圖表演長袖善舞之意，以免連補王國維缺的資格都不具備。只是那種過於專門的研究，並非四面出擊者力所能及。曾經以考據為拿繡花針作玩意兒的胡

65　耿雲志：《胡適年譜》，第200頁。

66　《追念逝世五十年的王靜安先生》，《幼獅文藝》第47卷6期，1978年6月。蔣復璁在《追憶胡適之先生》中的描述有所不同，他說是福蘭克主動提名胡適，「因為福氏讀了他的許多著作，非常敬服。他認為中國人中最瞭解西洋文化者，現世紀的中國學者應當是認識現世紀的歷史文化進步的學者，並不是抱殘守缺、泥古不化的學究，也不是妄稱溝通中西文化的先生。他事成之後，福氏寫信與我，說明此事的經過，其動機則在『九一八』之後，表示『中國雖無武力，而有文化』，胡先生在學者的心目中，是代表著中國文化。」（《文星》第9卷第5期，1962年3月）雖然時間較早，但為紀念胡適而作，又在哀悼期間，似不及後來的回憶客觀。徐中舒《王靜安先生傳》稱：「當先生自沉之前，漢堡中國文學教授德人顏復禮（F.Jaeger）奉其政府之命，擬聘先生為東方學術研究會名譽會員，介上虞羅振常氏為之先容；書未發而先生死，惜哉。」（《東方雜誌》第24卷13號，1927年7月）。戴家祥《海寧王國維先生》亦有此說。後戴氏《哭觀堂師》附注稱，德國漢堡大學中國文學教授顏復禮博士代表政府聘王國維為「東方學術研究會」名譽會員，聘書尚在途中，而訃告至，乃改致函唁（陳鴻祥著：《王國維年譜》，濟南，齊魯出版社1991年，第321頁）。此即蔣復璁所說北平圖書館季刊記載之事。

適，不得不下磨鐵杵的工夫，結果還是事倍功半。史料愈近愈繁，近世與近代史真相之難求，絕不下於古史，與胡適原來以為「初看去似甚難，其實較易整理」[67]之說迥異，這倒是胡適此一嘗試留下的寶貴經驗，足以令一味偏重古史的學術界有所覺悟。

胡適一生都在講治學方法。唐德剛先生批評胡適「始終沒有跳出中國『乾嘉學派』和西洋中古僧侶所搞的『聖經學』的窠臼」，但承認其治學方法集中西「傳統」方法之大成。[68]胡適本人則十分清楚，這一身份在西方漢學界尚未得到認可。1929年瑞典的斯文赫定（Sven Hedin）提議推舉胡適為諾貝爾文學獎候選人，1950年代初美國《展望雜誌》又以「發明簡體話文」為由推舉胡適進入100位當前世界最具影響力的偉人，所重都不在學術方面。[69]德國漢學界雖然拿他補王國維的缺，但國內外學術界對其推薦人佛蘭克的學術水準頗有異詞。1930年中央研究院歷史語言研究所聘請的外國通信員德國的米勒（F.W.K.Müller）去世，有人建議補聘佛蘭克，陳寅恪反對說：「據其研究中國史之成績言，則疑將以此影響外界誤會吾輩學術趨向及標準。」[70]則佛蘭克的推重在國內外學術界均不足為憑。

伯希和的熟視無睹，令胡適更加急於總結其獨門功夫，以鞏固禹域以內的權威地位。因為所謂世界學者，不僅享有社會名聲，更須影響治學途轍。如陳寅恪稱頌陳垣和王國維，其著作對於學風流弊，「必可示以準繩，匡其趨向」；「足以轉移一時之風氣，而示來者以軌

---

67 耿雲志：《胡適年譜》，第193頁。

68 唐德剛譯注：《胡適口述自傳》，第133頁。

69 《胡適日記》手稿本，1929年2月26日；唐德剛：《「我的朋友」的朋友》，邵元寶編：《胡適印象》，上海，學林出版社1997年版，第26頁。

70 史語所檔案元字4號之35，引自杜正勝：《無中生有的志業——傅斯年的史學革命與史語所的創立》，臺北，中央研究院歷史語言研究所編印：《中央研究院歷史語言研究所七十週年紀念文集：新學術之路》，第29頁。

則。」[71]這是連胡適的朋友門生也有口皆碑的。與胡適重審《水經注》案關係密切的王重民、以及胡適本人承認和自己同具以嚴格校勘考證法治小說戲曲首功的孫楷第，均以陳垣為當世「實浮於名」的「百代之英」，「使後生接之如挹千頃之陂，鑽彌堅之寶，得其片言足以受用，聆其一教足以感發」。[72]胡適欲與之比肩，精博高厚均可望而不可及，只好想方設法，別開生面，從自己擅長的科學方法下手。

四　治學方法

1954年11月13日，胡適在復洪業的信中說：「十年來，我重審《水經注》一案，雖然有幾分為人辯冤白謗的動機，其實是為了要給自己一點嚴格的方法上的訓練。」[73]但比較10年前他寫給王重民的信，開始目標顯然不在律己。他說：「我的主要目的還是要為考證學方法舉一組實例，為東原洗冤還是次要目的也。」[74]

胡適一生，始終想將自己與科學方法相聯繫，而與前人有所分別。因為成心立異，前後主張有時便不能一以貫之。他早年承認「清代的『樸學』確有『科學』的精神」，其通則便是在假設的前提下運用歸納的方法，並據此總結出「⑴大膽的假設，⑵小心的求證」的十字名言。此法倍受各方批評，雖為胡門招牌，具體內容和實例卻均來自前人，而且不包括科學方法的另一重要部分——實驗。[75]所以1923

---

71 《陳垣元西域人華化考序》；《王靜安先生遺書序》，均見《陳寅恪史學論文選集》，第506、501頁。

72 陳智超編注：《陳垣來往書信集》，第410頁。

73 轉引自方利山《胡適重審「水經注公案」淺議》。著重號為原有。

74 耿雲志、歐陽哲生編：《胡適書信集》中冊，第960頁。

75 《清代學者的治學方法》，歐陽哲生編：《胡適文集》2，第282-304頁。此文寫於1919-1921年間。

年胡適代表國學門全體作《〈國學季刊〉發刊宣言》，就主張借鑒歐美
日本的科學方法，以改變沒有條理系統和缺乏比較參考的清學弊端。
寫於1928年的《治學的方法與材料》，胡適雖然堅持科學方法的應用
仍是「大膽的假設，小心的求證」，卻認為東西方的材料完全不同，
一為文字，一為實物，結果實物的材料導致實驗的方法，引起不同的
結果。

　　重審《水經注》案後，胡適更認為在他之前，「根本上還是考證
學方法不曾上科學的路子」[76]。對此他後來解釋道：審案「也是借
《水經注》一百多年的糊塗官司，指出考證的方法，如果沒有自覺的
批評、檢討、修正，那就很危險。」[77]許多有名的學者之所以犯大錯
誤，「根本原因在於中國考證學還缺乏自覺的任務與自覺的方法。任
務不自覺，所以考證學者不感覺他考訂史實是一件最嚴重的任務。是
為千秋百世考定歷史是非真偽的大責任。方法不自覺，所以考證學者
不能發覺自己的錯誤，也不能評判自己的錯誤。」方法的自覺即自我
批評，自我檢討，自我修正。實驗的方法就是一種自覺的方法。社會
人文學科往往無法實驗，因此不但要小心的求證，還得要批評證據。

　　胡適針對考證學提出的具體辦法是充分參考現代國家法庭的證
據法：

　　　「凡做考證的人必須建立兩個駁問自己的標準：第一要問，我
　　　提出的證人證物本身可靠嗎？這個證人有作證的資格嗎？這件
　　　證物本身沒有問題嗎？第二要問，我提出這個證據的目的是要
　　　證明本題的那一點？這個證據足夠證明那一點嗎？第一個駁問

76　1944年2月25日《致王重民》，耿雲志、歐陽哲生編：《胡適書信集》中冊，第967頁。
77　《治學方法》，歐陽哲生編：《胡適文集》12，第141-142頁。

是要審查某種證據的真實性。第二個駁問是要扣緊證據對本題的相干性。」[78]

為此，胡適在倡行已久的十字法之上，又借《三朝名臣言行錄》中李若谷所說為官之道提出「勤、謹、和、緩」的四字法，並且晚年多講四字法而少提十字法。[79]

講四字法與重審《水經注》案關係緊密，前者的目的在於修補胡門家法的弊陋，後者則是找到一個最佳案例來支撐新的主張，並且可以指謫一百多年來的許多大學者。目前所知胡適最早講四字法的文獻資料，是1943年5月30夜致王重民函。不過，函中胡適自稱「十年前曾借用此四字來講治學方法」。儘管此說尚未找到直接證據，也許只是口耳相傳，卻不無可信。

1933年胡適寫了《評論近人考據老子年代的方法》，即扮演「魔的辯護士」的角色，討論梁啟超、錢穆、顧頡剛等人懷疑老子其人其書的證據的價值，並且評論他們方法的危險性，主張「在證據不充分時肯展緩判斷」[80]。1935年演講《讀書的習慣重於方法》，又提出「勤、慎、謙」，與四字法極為近似。[81]可見當時胡適已經察覺其方法論的缺陷，試圖另闢蹊徑，以超越前賢和同輩，贏得國內外學人的公認，保持其在提倡科學方法方面的領先優勢。只是時局日益惡化，不容許他從容實現。直到從駐美大使卸任，才重拾舊業。這時胡適離開公務繁忙的政界，仍然坐迴學界領袖的位置，不能不有所表現。而以

78　《考據學的責任與方法》，歐陽哲生編：《胡適文集》10，第195-196頁。

79　郭豫適：《從「十字法」到「四字法」──胡適的治學方法論及其它》，《胡適研究叢刊》第2輯，第228-229頁。

80　歐陽哲生編：《胡適文集》5，第102頁。

81　歐陽哲生編：《胡適文集》12，第486頁。

其數年的研究斷層，要想在學術界領導群雄，最易行的捷徑便是在方法論上提綱挈領，評判成案，以便迅速覆蓋廣泛領域。所以他很快撰寫了《〈易林〉斷歸崔篆的判決書——考證學方法論舉例》，這也是一樁三百年來眾說紛紜的公案，接著提出「勤、謹、和、緩」的四字法。

胡適在方法論上別樹一幟的願望因為王重民的熱心而變得更加迫切。接到胡適來函，王重民認為其中「把科學方法說成『勤、謹、和、緩』四字訣」，雖然道理與慣講方法的胡適從前所說一致，「可是取材命意，是他以前未經道過的」，而且胡適願將金針度與人，「時常用歷史和科學來修正來推廣」其方法，於是徵得胡適的同意，將信中「沒有發表過的方法和意見」公諸同好，截選部分刊登於1944年3月出版的國立北平圖書館編《圖書季刊》新5卷第1期。並在識語中推崇胡適為「最善講方法的人」，除了各長篇論文均顯示方法外，還有專講方法的文字。此舉無疑增強了胡適進一步鞏固和擴大新法影響的信念，再度以檢討他人證據的套路來展示自己的方法。

其實，胡適的走捷徑雖然易於標新立異，卻並非治學的正軌，高明的方法只有通過正面的建樹才能體現。一味批評他人，有規範的必要，無成就的可能，對於大眾或許有用，貢獻於學術則戞戞乎其難。清華研究院出身的陳守實於「無聊中閱胡適《讀書》一篇」，即認為「此君小有才，然綻論甚多，可以教小夫下士，而不可間執通方之士也。」[82]這大概反映了當時不少人的內心看法。靠指引「小夫下士」固然可以造勢，卻無法真正領導學術，況且沒有方法的自覺，清學乃至王國維等人的實證史學根本無法具有科學性，而現代國家法庭的證

---

82 陳守實：《學術日錄〔選載〕‧記梁啟超、陳寅恪諸師事》，《中國文化研究集刊》第1輯。

據法能否幫助文史考據達到自覺，尚在未知之數。所能確定的是，按照胡適的邏輯，並不瞭解現代國家法庭的證據法的王國維等人治學當然走不上科學的路子，只有胡適能夠擔此重任。

胡適醞釀和提出四字法的時間與關注《水經注》案的時間兩度巧合，說是純屬偶然就未免有些不大自然。至少他心目中已經有所考慮，才會很快選定該案來舉考證學方法的實例。舉實例的對象本是整個學術界，後來卻不得不退回己身。原因很簡單，選擇《水經注》公案來舉考證學方法的實例，恐怕是誤入歧途。胡適對此儘管極為慎重，其繁雜程度仍然始料不及。最重要的還在胡適的方法本身，所謂大膽假設，小心求證，治學不免是找材料而非讀書。前者先入為主，後者水到渠成，這也是胡適與王國維、陳垣等人的主要差別所在。待到胡適發覺再「勤、謹、和、緩」，假設也未必都能求證，已經騎上虎背，欲罷不能了。

不過，胡適選擇此案，也有其聰明處。即他欲藉此得一正果的目的雖然難以實現，動搖王國維權威的企圖卻部分得逞。這本是王國維晚年治學的相對薄弱點，卻能令胡適進退兩宜。作為知情人，如果王國維確實動氣，則胡適的指控為實情；如果王並非意氣之舉，胡的指責也容易取信於人。因為王國維文的理解本有兩可，而胡適的推波助瀾無疑強化了意氣一面的印象。他說，自己審了五年多的案，「才知道這一百多年的許多有名的學者，原來都是糊塗的考證學者。他們他懶，不肯多花時間，只是關起大門考證；隨便找幾條不是證據的證據，判決一個死人作賊；因此構成了一百多年來一個大大的冤獄。」而這許多有名的學者中，就包括「作了許多地理學說為現代學者所最佩服的浙江王國維以及江蘇的孟森」[83]。

83　《治學方法》，歐陽哲生編：《胡適文集》12，第141-144頁。

　　胡適後來總結重審此案的收穫，強調考據者不能動「正誼的火
氣」，王國維和孟森的治學方法最謹嚴，一旦動了「正誼的火氣」，
「都會失掉平時的冷靜客觀，而陷入心理不正常狀態，即是一種很近
於發狂的不正常心理狀態。」「所以都陷入了很幼稚的錯誤，─其結
果竟至於誣告古人作賊，而自以為主持『正誼』。毫無事實證據，而
自以為是做『考據』！」[84]至此，實際上胡適孜孜不倦所欲說明的，
已不是自己獨特的治學方法，而是強調從自己開始，中國文史學界才
真正有了科學方法。如此一來，後學的軌則、準繩、趨向都應按照胡
適指引的風氣轉移了。

　　更有甚者，胡適不僅指責王國維等「成見誤了聰明」，甚至不惜
將對史實的見仁見智與思想的「叛道」、「護法」強拉在一起。胡適重
審此案不久，就發現「張穆、魏源、靜庵、心史都未免懷有為朱子報
仇之心理」[85]。他從王國維的《戴校水經注跋》中，「頗感覺這公案的
背面終不免有戴學與樸學之鬥爭餘波。戴學所以異於樸學，正因為東
原不甘僅僅作一個『聲音訓詁名物象數』的大師，而要進一步作哲學
思想的破壞與建設。純粹樸學的大學者都無此胸襟，亦無此膽力。」
針對王國維批評戴震各條，胡適逐一反駁。如王認為戴「於六經大義
所得頗淺」，胡便反唇相譏，清代樸學大師於此無人不淺，「靜庵先生
自己著作等身，其『於六經大義』所得幾何耶？」斥責王國維指戴震
「欲奪朱子之席」是「陋儒之見」，是「沒有歷史眼光的陋見」[86]。後
來更聲稱：「又查明張穆、魏源、孟森、王國維他們為什麼罵十八世

84　1957年5月2日《復陳之藩函》，1961年8月4日《致吳相湘函》，耿雲志、歐陽哲生
　　編：《胡適書信集》下冊，第1308、1666頁。
85　1944年5月9日《致王重民》，耿雲志、歐陽哲生編：《胡適書信集》中冊，第997頁。
86　《自述治水經注案緣起及論述片斷》，耿雲志主編：《胡適遺稿及秘藏書信》第1
　　冊，合肥，黃山書社1994年版，第33-36頁。

紀一位了不得的大哲學家、大思想家戴東原是賊呢？因為戴東原是當時思想的一個叛徒，批評宋朝理學、批評程子、朱子。」[87]姑不論思想守成而學問先進者大有人在，如胡適從來不很敬重的王先謙，只因其《合校水經注》「居然能完全摒棄『全校』」，胡適就認為「其見識真遠出靜安、心史諸公上！」[88]

　　張、魏、孟、王諸人指戴震竊書，主要不是因為戴的叛道，應是顯而易見的事實。況且胡適明知王國維原來對戴震哲學的看法與自己所見略同，而王指責戴，也只是說他想奪取朱熹的位置卻力有不逮，這樣牽扯倒真有構陷之嫌了。儘管胡適說：「我總覺得王孟諸人攻擊東原竊書一案的背後不免有幾分『衛道』、『護法』的背景。其意若曰：『戴東原欲奪朱子之席，總不是個好東西，什麼可忌可恥之事，他都做得出來，這並不足奇怪！』」[89]但細讀他羅列的證據，仍然很難苟同其判斷，反倒覺得胡適自己有意無意間角色代入，將斷獄當成自辯了。

　　有人說：胡適的「清淺易懂，很可能是因為某種深刻的隱晦難懂」[90]。其文如此，其人也如此。胡適重審《水經注》公案，對《水經注》研究固然無所裨益，對於公案的審理也可以說是事倍功半。但胡適的目的本來不在上述，於案內求解，不免隔靴搔癢。跳出公案的糾葛，瞭解相關的語境，探尋胡適的本意及其與此案淵源，或者能收從偽材料中見真歷史，於無意義處顯有價值的奇效，對於理解胡適乃至中國近代學術史上的眾生相產生積極作用。

87　胡適：《水經注考》，歐陽哲生編：《胡適文集》12，第173頁。

88　1933年12月4日《致王重民》，耿雲志、歐陽哲生編：《胡適書信集》中冊，第932頁。

89　《自述治水經注案緣起及論述片斷》，耿雲志編：《胡適遺稿及秘藏書信》第1冊，第33-36頁。

90　郜元寶：《編選小序》，《胡適印象》，第2頁。

第十一章

近代學術轉承：從國學到東方學
——以傅斯年《歷史語言研究所工作之旨趣》為中心

　　世紀之交，關於近代中國學術如何轉承這一問題，引起不少學人的關注，從各自感興趣的領域和方面提出了新意紛呈的見解。[1]而其中重要的線索，是從北京大學研究所國學門到中央研究院歷史語言研究所的發展變化。有學者認為：「傅斯年創立史語所，不論治學的態度、方法、目標和組織，都為中國二十世紀的學術樹立一個新典範，也替中國爭取到世界性的學術發言權。」[2]清代以來，中國學術由經入子入史，史學不僅成為學術發展的重心，而且起著中心的作用，所謂「史學者，合一切科學而自為一科者也」[3]。用傅斯年的話說：「現代的歷史學研究，已經成了一個各種科學的方法之匯集。地質，地理，考古，生物，氣象，天文等學，無一不供給研究歷史問題者之工

1　除各種近現代史學史、學術史外，另參陳平原：《中國現代學術之建立——以章太炎、胡適之為中心》，北京大學出版社1998年版；杜正勝：《無中生有的志業——傅斯年的史學革命與史語所的創立》，臺北，中央研究院歷史語言研究所編印：《中央研究院歷史語言研究所七十週年紀念文集：新學術之路》；杜正勝：《從疑古到重建——傅斯年的史學革命及其與胡適、顧頡剛的關係》，《當代》第116期，1995年12月；陳以愛：《中國現代學術研究機構的興起——以北京大學研究所國學門為中心的探討（1922-1927）》；王晴佳：《論二十世紀中國史學的方向性轉摺》，錢伯城、李國章主編：《中華文史論叢》第62輯，上海古籍出版社2000年5月。

2　杜正勝：《無中生有的志業——傅斯年的史學革命與史語所的創立》，《中央研究院歷史語言研究所七十週年紀念文集：新學術之路》，第1頁。

3　陳黻宸：《京師大學堂中國史講義》，陳德溥編：《陳黻宸集》下冊，第676頁。

具。」[4]說史學革命帶動了近代中國學術的整體變動，並不為過。史語所之所以能夠取得驕人的成就，原因甚多，傅斯年手撰的《歷史語言研究所工作之旨趣》（簡稱《旨趣》）既是該所工作的綱領，也是對中外學術界發佈的宣言。此文早已受到近現代史學史和學術史研究者們的高度重視，據以評論傅斯年及其所謂「史料學派」的成敗得失。不過，仔細品味，其中仍有大量的重要信息尚未完全破解，而這些信息恰恰蘊藏有理解那一時期中國學術繼承、轉變與發展的關鍵要素。

一　新史學與史學革命

　　誠如當代學者所說：「相對於清代以前的傳統，二十世紀中國史學是一種嶄新的新史學，不論觀念、方法或寫作方式都達到革命性之改變的地步」[5]。「新史學」的概念，雖然梁啟超早在1902年已經提出，但梁立論的角度顯然主要在於政治而非學術。王國維早在1905年就對中國思想界以學術為政治手段的時尚表示異議，批評「庚辛以還各種雜誌接踵而起，其執筆者非喜事之學生，則亡命之逋臣也。此等雜誌，本不知學問為何物，而但有政治上之目的。雖時有學術上之議論，不但剽竊滅裂而已」。並且點名指責《新民叢報》關於康德哲學的論述（梁啟超作）「其紕繆十且八九也」。宣稱：「欲學術之發達，必視學術為目的而不視為手段而後可。」[6]沒有1920年代的史學革命，新史學很難產生學術碩果。

4　傅斯年：《歷史語言研究所工作之旨趣》，中央研究院《歷史語言研究所集刊》第1本第1分，1928年10月。以下凡不專門注出者，均見此文。

5　杜正勝：《從疑古到重建——傅斯年的史學革命及其與胡適、顧頡剛的關係》，《當代》第116期，1995年12月。

6　《論近年之學術界》，《靜庵文集》，《王國維遺書》第三冊，第523-524頁。

在梁啟超之後，「新史學」的口號不斷被提起，作為與前人或同輩劃界的標誌，相同的概念之下，內涵卻有極大的分別。所謂「新」，大體是由「西」衍生出來，西學的不同流派，便成為國人推陳出新的依據。所以，近代中國文化學術之新，並不依照歐美本來的時序，結果立異往往是創新的變種。1920年何炳松在朱希祖等人的鼓勵下翻譯魯濱孫（Robinson）的《新史學》，主張的是「歷史的觀念同目的，應該跟著社會同社會科學同時變更的」，歷史家「應該將社會科學的結果綜合起來，用過去人類的實在生活去試驗他們一下」[7]。這的確是歐洲學術發展的嶄新趨向，其背景是語言文獻學派日益成熟，並長期佔據主導位置，在大量既有史料被批判性鑒別和運用，以澄清和重建史實之後，有必要進行新的歸納以及開闢新的視野。而在中國，史學的社會科學化的提出，甚至還在嚴格的學術研究尚未脫離清學的框架之前。其主要需求之一乃是大學歷史課程講義的編寫和教學的實施。從學術研究的角度考察，社會科學化遠非當時中國學術界所能承受。因此，當1920年代史學革命發生時，無論是中期顧頡剛的「疑古」，還是後來傅斯年的「重建」，所依據的外來學術思想資源都不屬於社會科學的路線。

不僅如此，後來的史學革命在某種程度上還是針對前此的「新史學」而發。1920年8月，留學歐洲的傅斯年曾致函胡適，抱怨在北大六年，「一誤於預科一部，再誤於文科國文門」。此說看似僅僅批評舊學者，至少學人多持此解，其實更主要的是指責新風氣。他告誡胡適：「為社會上計，此時北大正應有講學之風氣，而不宜止於批評之風氣」，「希望北京大學裏造成一種真研究學問的風氣」。傅在北大，受胡適影響最多，「止於批評」的學風的形成，胡適難辭其咎。所以

7　朱希祖：《新史學序》，劉寅生、房鑫亮編：《何炳松文集》第3卷，第4頁。

傅斯年犯顏直諫:「興致高與思想深每每為敵」,請胡適勿為盛名所累,「期於白首……終成老師,造一種學術上之大風氣,不盼望先生現在就於中國偶像界中備一席。」[8]傅斯年這封支支節節,不能達意的「私信」的含意,在兩個月後致蔡元培的「公函」中講得更清楚,他說:

> 「北大此刻之講學風氣,從嚴格上說去,仍是議論的風氣,而非講學的風氣。就是說,大學供給輿論者頗多,而供給學術者頗少。這並不是我不滿之詞,是望大學更進一步去。大學之精神雖振作,而科學之成就頗不厚。這樣的精〔神〕大發作之後,若沒有一種學術上的供獻接著,則其去文化增進上猶遠。」

傅斯年的覺悟,應是到歐洲後受其學術文化薰陶的結果,因為「近代歐美之第一流的大學,皆植根基於科學上,其專植根基於文藝哲學者乃是中世紀之學院。」進一步講,「牛津環橋以守舊著名,其可恨處實在多。但此兩校最富於吸收最新學術之結果之能力。」「而且那裏是專講學問的,倫敦是專求致用的。劍橋學生思想徹底者很多,倫敦何嘗有此,極舊之下每有極新,獨一切彌漫的商務氣乃真無辦法。倫敦訾兩校以遊惰,是固然,然倫敦之不遊惰者,乃真機械,固社會上之好人,然學術絕不能以此而發展。」[9]他雖然將北京與上海、北大與清華比附於劍橋與倫敦,實則在劍橋與北大之間,後者只能扮演「倫敦」的角色。而朱希祖在史學系的課程改革,雖然以學術

8　1920年8月1日《傅斯年致胡適》,中國社會科學院近代史研究所民國史組編:《胡適來往書信選》上冊,第106頁。

9　《傅斯年君致蔡校長函》,《北京大學日刊》第715號,1920年10月13日。

為目的，結果很可能如胡適在哲學門的作用，仍是朝著議論的風氣，供給社會輿論者居多。況且這種改革其實是延續1904年《奏定學堂章程》以來一脈相承的路線。

　　就史學革命本身而言，後起的重建派顯然也有針對疑古派的意向。如果以顧頡剛和傅斯年為史學革命兩大流派的領軍人物，其學問的淵源和個人的關聯其實相當密切。兩人都是胡適的學生，其間胡適還時常將二人加以比較，不能不引發二人的爭勝之心。傅斯年一旦決心踏足史學，欲別樹一幟，首先就必須與顧頡剛的「古史辨」立異。[10]不過，就《旨趣》而論，雖然這時傅斯年已因種種觀念和辦事風格的分歧與顧頡剛發生公開衝突，所針對的對象並不只是仍然同事的顧頡剛，甚至主要不是顧頡剛。儘管1924至1926年間遠在歐洲的傅斯年認為顧頡剛已在史學上稱王，其它人只能臣服，[11]但這只是同輩人之間的排列。以在國內學術界的地位論，因《古史辨》而博得大名的顧氏，學術地位驟然飆升，廈門大學的聘書也由教授換成研究教授，可是在全國範圍看，中國文史學界的主流仍然是太炎門生的一統天下，連挾新文化運動餘威的胡適也不得不退避三舍。顧頡剛本人即認為自己在廈門大學國學院與魯迅的矛盾並非要「排擠魯迅們來成全自己」，其爭勝之心「要向將來可以勝過而現在尚難望其項背的人來發施。例如前十年的對於太炎先生，近來的對於靜安先生。」[12]心高氣傲絕不在顧之下的傅斯年，心底當然會有與顧氏爭勝之意，但如果懸此為的，立意就不免等而下之了。

10　詳參前引杜正勝二文。

11　傅斯年：《與顧頡剛論古史書》，中山大學《語言歷史學研究所周刊》第2集第13期，1928年1月。

12　1927年7月4日顧頡剛致葉聖陶信，引自顧潮：《歷劫終教志不灰——我的父親顧頡剛》，第114頁。

　　以《旨趣》撰寫之時的情勢論，王國維剛剛故去，章太炎雖然在
新文化派的眼中已經落伍（學術上是否如此，另當別論，至少其它派
系的人並不這樣看），其為數眾多的弟子門生卻各有所成，依然佔據
南北學界的主導地位。而且無論觀念派屬的新與舊，對章太炎均保持
恭敬與尊崇。尤其在社會上，胡適等人提倡整理國故，國學運動盛極
一時，而享譽大江南北的國學大師，仍以章太炎為泰山北斗。1922年
10月，《中華新報》出版紀念增刊稱：

> 「太炎先生國學泰斗，一代宗匠，吉光片羽，海內爭誦。……
> 頃者整理國故之說大倡，而率無門徑。茲存先生特為本報紀念
> 增刊撰文一首，示國人以治學之津梁。此文之出，足使全國學
> 界獲一貴重教訓，固不僅本社之榮幸已也。」[13]

　　則整理國故雖由胡適等人宣導，治學津梁仍需章太炎來指示。
整理國故如果沒有章氏門生的回應乃至主持，不易在學術界得到廣泛
反響。如果說在整個新文化運動中太炎弟子還只是偏師，那麼在整
理國故這一領域，章門則至少分享領軍作用，連胡適對他們也要禮讓
三分。
　　傅斯年要在文史學領域豎起革命的大旗，首先必須分清自己與整
理國故運動的界限，其中最主要的，還不是向顧頡剛的「古史辯」另
立山頭，而是劃分與太炎學派的界限。所以，傅斯年的史學革命，其
對象並非泛泛而談的舊史學，他關於宗旨負面的三點，即反對「國
故」，反對疏通，反對普及，雖然有與顧頡剛的直接衝突為背景，卻
是面向整個國學運動乃至整個中國文史學界而立論。他指責「國故本

---

13 湯志鈞編：《章太炎年譜長編》下冊，北京，中華書局1979年版，第662頁。

來即是國粹，不過說來客氣一點兒，而所謂國學院也恐怕是一個改良的存古學堂」，打擊面相當廣泛，不僅包括北京大學國學門以及與之一脈相承的廈門大學國學院，還涉及傅斯年不敢輕視的清華研究院國學科（亦稱清華國學院）。而反對疏通，固然有針對顧頡剛將傳說過分理性化的條理系統，亦指胡適用索引、結帳、專史的系統整理來部勒國學研究的資料，以及用比較的研究來幫助國學的材料的整理與解釋，甚至可能指朱希祖等人提倡的用社會學和政治學的觀念解釋歷史的社會科學化主張。

胡適代表北大國學門全體寫的《〈國學季刊〉發刊宣言》，就批評清代三百年學術存在研究的範圍太窄，太注重功力而忽略理解，以及缺乏參考比較的材料等三層缺點，聲稱：「學問的進步有兩個重要方面：一是材料的積聚與剖解；一是材料的組織與貫通。前者須靠精勤的功力，後者全靠綜合的理解。」清儒為糾正宋、明學者專靠理解的偏弊，努力做樸實的功力而力避主觀的見解，結果矯枉過正，三百年間只有經師而無思想家，只有校史者而無史家，只有校注而無著作，非但完全不能在社會的生活思想上發生影響，而且敵不過空疏的宋學。此外，《〈國學季刊〉發刊宣言》還主張「使大多數的學子容易踏進『《詩經》研究』之門」的普及，然後再去提高，為此，首先要索引式地整理國故，以「人人能用古書」，為「提倡國學的第一步」。[14] 比較《旨趣》，傅斯年幾乎就是針對這些話而反對推論設想，反對發揮歷史哲學和語言泛想，主張存而不補，證而不疏，以及反對普及的。

整理國故的主流包括太炎門生和「疑古」派。相比之下，如果不論社會聲勢的大小，前者的勢力和影響在學術界顯然勝於後者。胡適

---

14 胡適：《〈國學季刊〉發刊宣言》，《國學季刊》第1卷第1號，1923年1月。

和顧頡剛等人與太炎門生早有分歧磨擦，只是鑒於雙方在新文化的旗號下有不能不合作的時勢，才沒有公開翻臉。傅斯年儘管與胡適有分歧，與顧頡剛有矛盾，其史學革命還是以兩人為同道，他積極爭取胡適南下，又堅持推顧頡剛在歷史語言研究所任文籍考訂組主任之職，[15]除了過去的淵源，主要還是基於當前的共識。而共識的一個重要方面，便是公開與太炎學派斷然決裂。

在北京大學教職員中，素有所謂法日派與英美派的明爭暗鬥，具體到研究所國學門，便是留日出身、同籍同系的太炎弟子與異籍異系如胡適、顧頡剛等人的矛盾。只是在反對派聲音尚高的情勢下，衝突還不能公開化。對於章太炎本人，胡、顧二人還保持相當的敬意，不過認為其學術已經過時或者「半僵」。顧頡剛雖然將章太炎與胡適、梁啟超同列為國學五派中第四派即學術史的代表，[16]卻以其為十年前爭勝的對象。胡適仍以章太炎為中國今日十二個大人物中學者組三人的為首者，但也認為「章先生的創造時代似乎已過去了」，而同組的羅振玉、王國維還在努力的時代，「他們兩位在歷史學上和考古學上的貢獻，已漸漸的得世界學者的承認了。」[17]

對於章門弟子，與反對新文化派的黃侃當然勢不兩立，和與時俱進的其它諸人如二沈三馬、錢玄同、朱希祖、以及周氏兄弟，在許多方面還是同道，不能因為學術主張的分歧而分道揚鑣。太炎師徒對待新文化運動的態度各異，在學術領域則互為應援，弟子離不開先生國學大師的大纛，先生也需要幾大天王的拱衛。直到1932年章太炎北遊，講學於北京大學、燕京大學和師範大學，其弟子依然執禮甚恭，隨侍左右，為之口譯筆書。錢穆見「北平新文化運動盛極風行之際，

---

15 顧潮編著：《顧頡剛年譜》，第163頁。

16 1924年7月5日顧頡剛與殷履安信，顧潮編著：《顧頡剛年譜》，第97頁。

17 胡適：《誰是中國今日的十二個大人物？》，《努力周報》第29期，1922年11月19日。

而此諸大師，猶亦拘守舊禮貌」，知風氣轉移非朝夕之事。[18]正因為此，與太炎學派關係很深的胡適和顧頡剛，始終不敢與之公然作對。

趨新本來是太炎學派的特色。楊樹達記：太炎弟子之一的吳承仕「近日頗泛覽譯本社會經濟學書，聞者群以為怪，交口訾之。一日，一友為余言之。餘云：『君與余看新書，人以為怪，猶可說也；若檢齋乃太炎弟子，太炎本以參合新舊起家，檢齋所為，正傳衣缽，何足怪也？』」[19]不過章門弟子的趨新之道，一則被所參合的舊學牽制，二則為所取捨的新學引導，與胡適等人並不完全同調。雙方為了求同，只好存異，觀念分歧便為組織協調作了犧牲。胡適為北京大學研究所國學門起草《〈國學季刊〉發刊宣言》，作為「新國學」的研究綱領，要代表全體說話，不得不暫時擱置「疑古的態度」，並且不再急於「評判是非」[20]。

傅斯年要樹立史學革命的大旗，必須斬斷人脈的聯繫，才能無所顧忌地否定前人，否則觀念上難免代表全體的尷尬，人事上也會受到各種牽制，史學革命難以收效。因此，《旨趣》的鋒芒所向，其一是指責「修元史修清史的做那樣官樣形式文章」，指柯劭忞、屠寄和清史館的那批老輩學者，其二便是痛斥「章炳麟君一流人屍學問上的大權威」。《旨趣》的矛頭公然直指《〈國學季刊〉發刊宣言》，執筆的胡適卻不以為忤，後來甚至認為與自己同年發表的《治學的方法與材料》異曲同工，則他很可能知道傅斯年的用意實在於反對其中太炎學派的主張。

公開否定章太炎的學術成就，不僅有助於學術上與之劃清界限，

---

18 錢穆：《八十憶雙親・師友雜憶》，第182頁。

19 楊樹達：《積微翁回憶錄》，第81頁。

20 參見陳以愛：《中國現代學術研究機構的興起——以北京大學研究所國學門為中心的探討（1922-1927）》第3章第1節。

更重要的是組織上便於將太炎門生打入另冊，以免人事糾葛。北大出身的傅斯年與太炎學派關係相當深，「最初亦是崇信章氏的一人」，朱家驊後來聘請既無學位又無任教資歷的傅斯年主持中山大學文史科及哲學、中國語言文學、史學等係，還淵源於1917年沈尹默向他當面贊許傅的「才氣非凡」。[21]毛子水說傅斯年因「資性卓犖，不久就衝出章氏的樊籠；到後來提到章氏，有時不免有輕蔑的語氣。與其說是辜負啟蒙的恩德，毋寧說是因為對於那種學派用力較深，所以對那種學派的弊病也看得清楚些，遂至憎惡也較深。」這在情理上有些牽強，除非傅氏決心不受這些老師輩學人的束縛干擾，史語所組建時就基本不接納直系的章門弟子。

　　不僅如此，1934年，蔣夢麟與胡適聯手解決北京大學國文系浙人把持的問題，解聘林損而保留馬幼漁，並以一年乾薪和名譽教授換取後者默認，傅斯年聞訊，「深為憂慮不釋」，認為數年來國文系不進步，及為北大進步之障礙者，以馬為罪魁，希望一齊掃除，不留禍根，並自告奮勇，「自任與之惡鬥之工作」。傅斯年擔心「馬乃以新舊為號，顛倒是非，若不一齊掃除，後來必為患害」[22]，則太炎學派在學術界的聲勢仍然令人生畏。不作根本顛覆，其史學革命如何改朝換代？

21　朱家驊：《悼亡友傅孟真先生》，王為松編：《傅斯年印象》，上海，學林出版社1997年版，第26頁。傅斯年在中山大學的任職，參見黃義祥編著：《中山大學史稿：1924-1949》，廣州，中山大學出版社1999年版，第140頁。

22　1934年5月8日《傅斯年致蔣夢麟》，《胡適來往書信集》下冊，北京，中華書局1980年版，第531頁。編者注此信約寫於1931年，誤，解聘林損事在1934年，參見張憲文整理：《林公鐸藏劄二十九通》，《文獻》季刊，1992年第3期所載1934年夏林損致蔣夢麟、胡適各函。

二　新舊難辨

太炎學派代桐城派而興，是民初中國學術界的革命性變化，作為歷史的進步，兩派之間學術觀念的差別顯而易見，因此人脈關係上清楚地劃分楚河漢界也容易理解。那麼，傅斯年的史學革命，學術思想究竟那些方面超越前人，這是當年傅斯年極力強調，近來也有學者為之發揚，但爭議仍然不少，事實並未釐清的關鍵問題。

學者已經注意到，《旨趣》只是傅斯年關於史語所的工作綱領，而不能視為他的全部史學思想或觀念的完整表述。[23]而且傅氏為了營造別開生面的效果，遣詞造句不無語不驚人誓不休之嫌，從學理上看，偏激過頭的話不在少數。他反對的三個方面，即國故、疏通、普及，固然和不少人存在分歧，但他所主張的三點，如直接研究材料和事實，擴張研究材料，擴張研究工具，已經是包括太炎弟子和古史辯派在內的新文化派公認的規則。雖然傅斯年一味著力於劃清界限，還是有學者指出其史學革命與以整理國故為標榜的國學運動之間的淵源繼替關係。[24]

關於這一問題，近來學術界不無爭議。中央研究院歷史語言研究所與中山大學語言歷史研究所存在直接淵源，顧潮依據其父的《顧剛日程》，指出原來董作賓從內容推測「必是孟真的手筆」的《國立第一中山大學語言歷史學研究所週刊》的《發刊詞》（該刊第1期，1927年11月1日），其實是顧頡剛的作品。[25]對此杜正勝別有見解，他認為，發刊詞的著作權屬和執筆人雖然可以斷定，「唯該發刊詞所體現

23　蔣俊：《中國史學近代化進程》，濟南，齊魯書社1995年版，第128-130頁。

24　吳相湘便將《旨趣》和北京大學《國學季刊發刊詞》並列為「奠定中國現代歷史學之兩大柱石」（《傅斯年學行並茂》，《傅斯年印象》，第174頁。

25　顧潮：《顧頡剛年譜》，第144-145頁。另參顧潮：《顧頡剛先生與史語所》，《中央研究院歷史語言研究所七十週年紀念文集：新學術之路》，第87-88頁。

的學術方向：『要實地搜羅材料，到民眾中尋方言，到古文化的遺址去發掘，到各種的人間社會去采風問俗』，不能說顧頡剛不可能有，但把語言歷史學提出來當作該研究所的綱領，卻非歸屬傅斯年專利不可。發刊詞且認定這兩門學問『和其它的自然科學同目的、同手段』；治學態度上宣示『沒有功利的成見，知道一切學問不都是致用的』；治學方法則要『承受〔了〕現代所〔研〕究所〔學〕問的最適當〔的〕方法』。這些絕對是『傅斯年式』的，不是顧頡剛的蹤影。……主張普及和致用的顧頡剛這時寫下上述的宣示，顯然是替傅斯年說話，可能因為傅是所長，秉其意思作文。所以《中山大學語言歷史研究周刊》發刊詞的著作權不能如實地按《頡剛日程》所記的認定。」[26]

與杜正勝刻意「見異」有別，研究北京大學國學門及其影響的陳以愛更傾向於「求同」的一面。她認為傅斯年的學術理念，固然可以透過顧頡剛執筆的《發刊詞》表達，但其中也包含不少顧頡剛的學術見解在內。發刊詞所陳述的工作方針，「無一不是國學門過去幾年所提倡和發展的學術事業」，顧總結國學門的研究方向，提綱挈領地寫進中大語史所周刊《發刊詞》，而董作賓誤認為傅斯年所撰，「不但說明傅、顧兩人當時在推動學術機構發展的『大方針上是一致的』，也反映出20年初期國學門所開創的各項學術事業，與20年代末成立的史語所工作之方向非常接近。這無疑顯示出史語所與國學門領導者，在學術理念上有許多相通之處」[27]。

傅斯年與顧頡剛、北大國學門與史語所之間的聯繫與區別，的確

---

26 杜正勝：《無中生有的志業——傅斯年的史學革命與史語所的創立》，《中央研究院歷史語言研究所七十週年紀念文集：新學術之路》，第12-13頁。

27 陳以愛：《中國現代學術研究機構的興起——以北京大學研究所國學門為中心的探討（1922-1927）》，第386頁。

是認識傅斯年史學革命內涵的關鍵。就此發表過意見的學人雖然沒有正面爭論，各自的不同傾向還是表露無遺。然而異同究竟何在，仍然各執一詞。

杜正勝指稱屬於傅斯年專利的，除了將語言歷史學提為綱領外，其餘幾項在顧頡剛以往的學術活動中不僅並非毫無蹤影可尋，而且可以說基本意思顧頡剛均已不同程度地表述過，甚至遣詞造句也常常類似。如治學態度不求功利，不講應用，研究史學語言學和自然科學同目的、同手段以及承受現代治學方法等，恰是顧頡剛的一貫主張。早在1924年6月，顧頡剛就指出「整理國故與保存國粹的大別，乃是一個是求知的態度，一個是實用的態度。」[28]1926年1月1日，顧頡剛為《北京大學研究所國學門週刊》撰寫長文《一九二六年始刊詞》，所表達的思想與《中山大學語言歷史研究所週刊發刊詞》一脈相通，在某種程度上可以說後者就是前者的凝縮。

該文的主要目的，正是要辨明「求知」與「應用」是兩條不同的大路，著眼於求知，學術則極深邃，著眼於應用，學術就很淺近。「凡是真實的學問，都是不受制於時代的古今階級的尊卑、價格的貴賤、應用的好壞的。研究學問的人只該問這是不是一件事實，他既不該支配事物的用途，也不該為事物的用途所支配」。「我們研究的目的，只是要說明一件事實，絕不是要把研究的結果送與社會應用」，「我們得到的結果也許可以致用，但這是我們的意外的收穫，而不是我們研究時的目的」。「這種的斟酌取擇原是政治家、社會改造家、教育家的事情，而不是我們的事情。」從前的學者不注重事實，單注重書本，其學問在時代、階級應用等方面受限制，最容易上古人的當，是因為「態度不求真而單注重應用，所以造成了抑沒理性的社會，二

---

28 1924年7月5日與履安信，顧潮編著：《顧頡剛年譜》，第97頁。

千餘年來沒有什麼進步。我們現在研究學問，應當一切從事實下手，更把事實作為研究的歸結，我們不信有可以做我們的準繩的書本，我們只信有可以從我們的努力研究而明白知道的事實。」這也就是《中山大學語言歷史研究所周刊發刊詞》所說：「我們生當現在既沒有功利的成見，知道一切學問，不都是致用的，又打破了崇拜偶像的陋習，不願把自己的理性屈伏於前人的權威之下」。

基於「科學的基礎是建築於事實上而不是建築於應用上的」，顧頡剛反駁有人認為應當研究科學，不應當研究國學的責難，認為「所謂科學，並不在它的本質而在它的方法，它的本質乃是科學的材料，科學的材料是無所不包的，上自星辰，下至河海，變幻如人心，污穢如屎尿，沒有不可加以科學的研究。」而國學是歷史科學中的中國的一部分，「研究國學，就是研究歷史科學中的中國的一部分，也就是用了科學方法去研究中國歷史的材料。所以國學是科學中的一部分，而不是可與科學對立的東西。」在故紙堆中找材料和在自然界中找材料沒有高下的分別，研究歷史與研究人類學、地質學、天文學一樣，沒有新舊之分，「只要你能在材料中找出真實的事實來，這便是科學上的成績。」「若說科學家僅僅能研究自然，研究工藝，而不能研究社會，研究歷史，那麼，科學的領域未免太小了，科學的伎倆未免太低了，這人的眼光也未免太狹隘了。」同時，歷史科學的發展，與其它學科相輔相成，當各種科學都發達，中國的各科材料都有人研究，就可放棄模糊不清的「國學」，而純粹研究中國歷史或東方歷史。

換一角度，這些話的意思正是《中山大學語言歷史研究所周刊發刊詞》所說「語言歷史學也正和其它的自然科學同目的、同手段，所差只是一個分工」以及「承受了現代研究學問的最適當的方法，來開闢這些方面的新世界」。與傅斯年所宣稱：「一、把些傳統的或自造的『仁義禮智』和其它主觀，同歷史學和語言學混在一氣的人，絕對不

是我們的同志！二、要把歷史學語言學建設得和生物學地質學等同樣，乃是我們的同志！」精神上並無二致。

　　當時人提倡科學，尤其是自然科學影響史學，主要包括兩類，其一，自然科學的各學科輔助史學的發展完善，一方面，自然科學家研究各相關專史，如數學、物理、化學、天文學等，可大幅度提高該領域的科學程度，另一方面，史學的發展有賴於自然科學的進步，如考古學便涉及地質、化學、生物學等學科。其二，按照自然科學的態度、方法研究史學，使之達到相同或相近的科學程度。前者不僅北大國學門早已實行，計劃中的東南大學國學院也表示認同[29]。至於後者，則雖然多數人同意用科學方法整理國故，但認為文史之學與自然科學乃至社會科學仍然有所分別，主張以相同方法對待並且達到相同科學程度者並不多見。而在這方面，顧頡剛與傅斯年的旨趣至少是相互溝通的。

　　不僅如此，傅斯年親撰的《旨趣》，精神與北京大學國學門也大抵相通。國學門的「國學」以文字為範圍，是為了打破學科界限，[30]所以《國立北京大學〈國學季刊〉編輯略例》規定：「本季刊雖以『國學』為範圍，但與國學相關之各種科學，如東方古言語學、比較言語學、印度宗教及哲學，亦與以相當之地位。」[31]《國學季刊》很早就發表伯希和、鋼和泰、高本漢等人關於語言學與史學關係的著述，國學門也將日語和同在中國境內同屬印支語系的西藏、苗夷以及境外的暹羅、安南等語，列入調查研究或提倡的範圍。[32]為此，王國

29　《東南大學國學院整理國學計劃書》，《北京大學日刊》第1420號，1924年3月15日。

30　《在北大研究所國學門委員會第一次會議發言》，高平叔編：《蔡元培全集》第4卷，第156頁。

31　《國學季刊》第1卷第1號，1923年1月。

32　《北大研究所國學門方言調查會宣言書》，《北京大學日刊》第1421號，1924年3月17日；沈兼士《整理國故的幾個題目》，《北京大學日刊》第1421號，1922年2月18日。

維、陳垣、沈兼士等人積極推動派遣教授學生到歐美學習語言文史之學。[33]而顧頡剛求知不求致用的目的之一，便是不為現實的社會所拘束，研究的範圍可以愈放愈大，發現的真理也愈積愈多，可以不斷擴大運用史料的範圍。

顧頡剛後來補記他與傅斯年關於史語所規劃的爭議之一，是普及與專精的先後次序，然而比較當時的資料，顧頡剛固然不贊成只限於十幾個書院的學究的規模，「希望得到許多真實的同志而相互觀摩，並間接給研究別的科學的人以工作的觀感，使得將來可以實現一個提攜並進的境界」，但也「不希望把國學普及給一班民眾」。[34]與《北京大學國學季刊發刊詞》的見解不同，而與傅斯年的主張一致。何況傅斯年也計劃將集眾的工作及附帶的計劃隨時布白，「希望社會上欣賞這些問題，並同情這樣工作的人多多加以助力！」《旨趣》雖由傅斯年執筆，在個別問題上認識不盡相同，仍然代表三位籌備員的共識，學術觀念的大端不能不保持一致。正因為這樣，傅斯年才會堅持讓顧頡剛加盟史語所。

從1929年2月顧頡剛為《國立中山大學語言歷史學研究所年報》第6集（實為周刊合訂本）所撰《序》文看，他仍然認為「專門的學問是不必普及的」，但要爭取「一般人的最小限度的諒解」，其與傅斯年的分歧，應是文章開頭詳細解釋的目前「不是正式的研究工作，而

---

33 王國維1922年12月12日致函馬衡，問以「現在大學是否有滿蒙藏文講座？此在我國所不可不設者。其次則東方古國文字學並關緊要。研究生有願研究者，能資遣法德各國學之甚善，惟須擇史學有根柢者乃可耳。此事兄何不建議，亦與古物學大有關係也。」（吳澤主編，劉寅生、袁英光編：《王國維全集・書信》，第336頁）而1920年10月制定的《國立北京大學研究所整理國學計劃書》已主張選派「深於國學」或「國學優長」的教授學生赴海外留學，歸而任整理之職（《北京大學日刊》第720號，1920年10月19日）。

34 顧潮：《顧頡剛年譜》，第152頁。

是工作的預備和研究的運動」，要費十年力量「造成若干可以研究語言學和歷史學的少壯學者」，「使得若干年之後有若干的專門家向著這方面做正式的研究工作」。因此現在主要是搜集材料，提出問題，成果難免幼稚，不要求全責備。這顯然是對傅斯年認為大學出書應是積年研究的結果，及其批評《民俗學會叢書》無聊淺薄的回應。除此之外，兩人宗旨的正負兩面大同小異甚至基本一致。

　　誠然，傅斯年「史學革命」的效果仍是客觀實在，毋庸置疑的，只是成功的原因不一定是理念的新穎或旗幟的特色。在中國近代史學發展進程中，傅斯年的學術貢獻遠不及他的事功[35]，史語所的突出成就恰是其史學革命勝利的象徵，並且多多少少放大了傅斯年學術理念的作用。其實，《旨趣》的極端和片面，雖然不能割斷史語所與北大國學門到中大語史所積極方面的精神聯繫，卻有助於避免近代中國學術界既有代與派的人事糾葛，以及相應存在的舊學慣性牽制的負面作用，從而堂而皇之地組織起「元和新腳」的整齊陣容，迅速而有序地落實以往長期坐而言卻不能起而行的學術主張，不必如顧頡剛所說等待十年以後。1934年北京大學文學院欲引進梁實秋，傅斯年「疑其學行皆無所底，未能訓練青年」，主張「此時辦學校，似應找新才，不應多注意浮華得名之士」，強調注重實學[36]。找新才重實學開新路，正是傅斯年成功組織史語所的秘訣之一。

　　從北京大學國學門到廈門大學國學院再到中山大學語史所，學術主張的精神與史語所一脈相通，但具體落實起來卻進展緩慢。如對古

35　胡適稱傅斯年既是「最能做學問的學人」，「又是最能辦事、最有組織才幹的天生領袖人物」（《〈傅孟真先生遺著〉序》，王為松編：《傅斯年印象》，第75頁），實則治學的上佳資質不及其事功的顯赫。嚴耕望即認為傅斯年和顧頡剛「對於近代史學宣導之功甚偉；惟精力瘁於領導，本人述作不免相應較弱」（《錢穆賓四先生與我》，序言第2頁）。

36　1934年5月8日《傅斯年致蔣夢麟》，《胡適來往書信集》下冊，第531頁。

史研究至關重要的考古學，明知實地發掘較器物徵集重要得多，卻遲
遲不能付諸實施；語言學亦如此，方言調查沒有深入原來區域，主要
利用現有人員異地進行方音記錄，或讓各地會員收集有關資料；民俗
研究同樣離開田野調查，以徵集各種風俗實物和資料的形式進行，距
離人類學的研究相當遙遠。直到史語所成立前夕，中山大學語史所才
開始雲南少數民族調查。結果理念上確已逃出傳統惡習的範圍之外，
實際上還在既有學術的框縛之中。不要說與歐美的學者比較，遠遠沒
有走上他們心目中現代學術的正軌，「使中國的語言學者和歷史學者
的造詣達到現代學術界的水平線上」[37]，甚至不及清華大學國學院的
努力程度。在東方學、考古學和語言學方面，陳寅恪、李濟、趙元任
已經開始進入國際學術的行列。如果說政局動盪和官方壓制是北大派
面臨困境的客觀原因，那麼主觀因素就是缺少真正受過新學科專門訓
練的學者，不能恰當地運用有關方法處理問題，同時原有的學術訓練
還會對其投入新領域起到牽製作用，使之難以義無反顧地全力以赴。

　　傅斯年對史語所的人選堅決貫徹「找新才」和捨棄「浮華得名之
士」的原則，他雖然吸收了18位北大國學門出身的學人加盟，占草創
期研究人員的一半以上，[38]但成名的前輩多為特約或兼任研究人員，
專任者主要是畢業研究生，只有個別人如劉復，屬於志同道合者。而
傅斯年真正倚重的還是清華研究院的陳寅恪、趙元任和李濟，再加上
陳垣，由他們擔任各方面的負責人。長期掌管北大國學門考古學會的
馬衡，一直有心於實地發掘，主動要求加入史語所考古組，而為傅斯

---

37 顧頡剛：《發刊詞》，《國立第一中山大學語言歷史學研究所周刊》第1期，1927年11
　　月1日。

38 陳以愛：《中國現代學術研究機構的興起——以北京大學研究所國學門為中心的探
　　討（1922-1927）》，第391頁。

年斷然婉拒。[39]由於觀念一致，又沒有人事矛盾的糾葛，加以傅斯年的過人辦事精力和善於打通各方關係，爭取到必須的支持和條件，準確選擇主攻方向，而外部環境也漸趨穩定，使得史語所的計劃落到實處，各種前人長期議而未行的新學術領域迅速開闢，並且很快取得明顯成效，引起國際學術界的關注，為中國爭取世界性的學術發言權的目標開始得到實現。從集團研究已成大勢所趨的角度看，傅斯年的事功正是中國學術界以科學方法整理國故的理想得以實現的重要條件，連前此較有成就的李濟也承認，若非傅斯年的提倡，其考古工作也許就會中斷。[40]

三　科學的東方學之正統

在《旨趣》的結尾處，傅斯年喊出了當時中國新進學術界的共同心聲：「我們要科學的東方學之正統在中國！」與國際漢學界爭勝的心願，不僅傅斯年有，胡適、陳垣、李濟、乃至陳寅恪，都不同程度地蘊藏胸中。胡適提倡「整理國故」，實際上就是「要照著西方『漢學家』與受西方『漢學』影響的日本『支那學家』的研究方法和範圍去作研究」[41]。傅斯年的主張，是這一精神的發展或自然延伸。只是依照傅斯年的一貫做法，使之進一步極端或徹底。

傅斯年本來也疑古，因為要超越顧頡剛的史學王國，不肯真的向顧稱臣，在歸國前後的短短一兩年間苦心孤詣，另闢蹊徑。他雖然在

---

39 杜正勝：《無中生有的志業———傅斯年的史學革命與史語所的創立》，《中央研究院歷史語言研究所七十週年紀念文集：新學術之路》，第33-34頁。

40 李濟：《創辦史語所與支持安陽考古工作的貢獻》，《傳記文學》第28卷第1期，1976年1月。

41 牟潤孫：《北京大學研究所國學門》，《大公報》（香港）1977年2月9日。

德國留學，學過一點語言學課程，卻無成績，[42]又少讀蘭克（Leopold von Ranke）著作，所得到的思想資源，還不如當時國際漢學之都的法國巴黎學派影響更大。所以顧頡剛後來說：「傅在歐久，甚欲步法國漢學之後塵，且與之角勝」[43]。

傅斯年將語言學與歷史學並舉，錢穆認為「在中國傳統觀念中無此根據。即在西方，亦僅德國某一派之主張」[44]。其實傅斯年的想法或許來自德國，其心目中的典範還在法國。此時歐洲漢學及東方學正是語文學派佔據主導，中國學者的目光所集也在於此。北京大學《國學季刊》發刊時，就刊登了王國維1919年翻譯的伯希和1911年就任法蘭西學院中亞語史學講座時的講演詞《近日東方古言語學及史學上之發明與其結論》。王國維稱此文「實舉近年東方語學文學史學研究之成績，而以一篇括之」。伯氏明確指出由於古物學和古語學的復興，改變了原來考中亞史事僅據典籍的狀況，因而取得長足進展。[45]胡適稱讚「此文甚好」，並為之加上標點。前此胡適因為鋼和泰的關係，已經建議北京大學注意東方語學，以便與國際東方學界加強聯繫。[46]傅斯年反對「國學」、「漢學」的概念而主張「東方學」，自然會將語言學與歷史學相併舉。此後傅斯年很少提到蘭克的名字，對伯希和以及另一位巴黎學派大家、瑞典的高本漢（Karlgren）則推崇備至。[47]

---

42 劉桂生：《陳寅恪、傅斯年留德學籍材料之劫餘殘件》，北京大學歷史學系編：《北大史學》第4期，北京大學出版社1997年版，第311頁。

43 顧潮：《顧頡剛年譜》，第152頁。

44 錢穆：《八十憶雙親・師友雜憶》，第168頁。

45 《國學季刊》第1卷第1號，1923年1月。

46 中國社會科學院近代史研究所中華民國史研究室編：《胡適的日記》，第228-229、318-319頁。

47 參見王汎森：《什麼可以成為歷史證據——近代中國新舊史料觀念的衝突》，《新史學》第8卷第2號，1997年；傅斯年：《論伯希和教授》，《傅斯年全集》第7冊；羅家倫：《元氣淋漓的傅孟真》，王為松編：《傅斯年印象》，第11頁。

　　要使中國成為「科學的東方學之正統」，傅斯年不僅反對「中國學」和「國學」的概念，更重要的是希望改變中國固有的治學之道。他認為：「西洋人作學問不是去讀書，是動手動腳到處尋找新材料，隨時擴大舊範圍，所以這學問才有四方的發展，向上的增高。」因此，要「改了『讀書就是學問』的風氣」，並且宣稱：「總而言之，我們不是讀書的人，我們只是上窮碧落下黃泉，動手動腳找東西！」沿著找尋新材料，發掘新問題，援引新工具的路線，史語所很快取得了舉世矚目的成就。1932年，伯希和因史語所各種出版品之報告書，尤其是李濟所著安陽發掘古物的報告，特提議將該年度法國考古與文學研究院的儒蓮獎授予史語所[48]，並且認為「李濟、顧頡剛等皆為中國第一流學者」[49]。20世紀的史語所，的確可以稱得上是「名滿天下」。

　　「成也蕭何，敗也蕭何」，成就顯著的史語所之所以「謗亦隨之」，要因之一，也就在於不讀書而專找材料的宗旨，有使中國學術脫離精通的大道，走向窄而偏的狹徑歧途的危險。此一傾向，晚清光宣以後的學術復興已經呈現，由於「普通經學史學的考證，多已被前人做盡，因此他們要走偏鋒，為局部的研究。其時最流行的有幾種學問：一金石學；二元史及西北地理學；三諸子學。這都是從漢學家門庭孳衍出來。」[50] 1920年代整理國故運動興起後，在科學方法條理系統固有材料的引導下，偏窄的傾向愈演愈烈。[51]懸問題以覓材料，本來是歐美漢學家易犯的毛病，他們很難看完浩如煙海的典籍以發現問題，欲成一家之言，先是從類書中尋找題目，繼而由新材料帶動新問

48 1932年3月《復伯希和函》，高平叔編：《蔡元培全集》第6卷，第179頁。

49 吳宓著，吳學昭整理注釋：：《吳宓日記》第5冊，第196頁。

50 梁啟超：《中國近三百年學術史》，北京，東方出版社1996年版，第34頁。

51 參見桑兵：《國學與漢學——近代中外學界交往錄》第1章第4節《發現與發明》；羅志田：《史料的儘量擴充與不看二十四史——民國新史學的一個詭論現象》，《歷史研究》2000年第4期。

題，再借鑒其它學科或文化的問題意識，套用現成的解釋框架，結果難免走上偏鋒險道。王國維曾經批評胡適提倡用科學方法整理國故，「『想把國學開出一帳來，好像是索引，一索即得。但是細帳開好後，大家便利了，也就不讀書了。』因此他最所注意的是讀書，教學生仔仔細細地把書讀好，讀了書再做文章。」[52] 他主張「宜由細心苦讀以發現問題，不宜懸問題以覓材料」[53]。

蕭公權針對胡適「大膽假設，小心求證」的「科學方法」，提出：

> 「在假設和求證之前還有一個『放眼看書』的階段。經過這一段工作之後，作者對於研究的對象才有所認識，從而提出合理的假設。有了假設，回過來向『放眼』看過，以至尚未看過的『書』中去『小心求證』。看書而不作假設，會犯『學而不思則罔』的錯誤。不多看書而大膽假設，更有『思而不學則殆』的危險。……不曾經由放眼看書，認清全面事實而建立的『假設』，只是沒有客觀基礎的偏見或錯覺。從這樣的假設去求證，愈小心，愈徹底，便愈危險」[54]。

附和新文化者也有所覺悟，1921年梁啟超講中國歷史研究法，順著科學主義的路線，鼓吹史料的收集與別擇，「以致有許多人跟著往捷徑走」。他覺得一味補殘鉤沉，則史學永無發展，後來作補編時，即突出「廣」，強調「大規模的做史」，「想挽救已弊的風氣」。[55]整理

52 蔣復璁：《追念逝世五十年的王靜安先生》，《幼獅文藝》第47卷第6期，1978年6月。
53 周光午：《我所知之王國維先生——敬答郭沫若先生》，陳平原、王楓編：《追憶王國維》，第165頁。
54 蕭公權：《問學諫往錄——蕭公權治學漫憶》，上海，學林出版社1997年版，第70頁。
55 梁啟超：《中國歷史研究法（補編）》，《飲冰室專集》第1冊，第167-168頁。

國故還以包括典籍在內的所有文獻為主，而不讀書專找材料，等於鼓
勵學人放棄基本書籍一味追求罕見材料，並以此為治學的唯一正途。
這無疑導致學風進一步偏離正軌。到1930年代初，北平的學術界充滿
著「非考據不足以言學術」的空氣，「以考訂破壞為學，而譏博約者
為粗疏」。[56]

　　風氣的偏蔽引起愈來愈多學人的強烈不滿。所批評的主要是兩個
相互聯繫的問題，其一，忽略基本書籍的閱讀，專找新奇材料；其
二，忽略大節的溝通把握，專注於瑣碎問題的考據。前輩學者的意見
最多，學術雖已「半僵」仍被視為「海內宗匠」的章太炎指責當時學
人根柢太淺，治諸子不先明群經史傳，研究小說不先遍治群書及明於
近代掌故，言經學不明家法，究習吉金甲骨不根於載籍，而又撏扯正
史，論史則不求諸史乘，而乞靈於古器，因而「學說之奇衺，至今日
而極」[57]，希望向坊表後進者示以正軌。被排擠在主流以外的學人也
議論紛紛，批評「近人治史，群趨雜碎，以考核相尚，而忽其大節；
否則空言史觀，遊談無根」[58]。

　　關於此節，太炎首徒黃侃有高度概括。1930年，留學北京大學的
吉川幸次郎專程到金陵拜訪黃侃，後者「誥以治學之法曰：『所貴乎學
者，在乎發明，不在乎發見。今發見之學行，而發明之學替矣。」[59]
發見與發明的區別，從治學的方向言，大體如王國維所說找材料與讀
書，從治學的辦法言，則是如何運用新舊材料。對此陳寅恪有過系統
的闡述，他於1935年講授「晉至唐史」時，一開始就針對學風的時弊

56 蕭一山：《為〈清代通史〉批評事再致吳宓君書——並答陳恭祿君》，《國風》第4卷
　　第11期，1934年6月。
57 孫至誠：《謁餘杭章先生紀語》，《制言半月刊》第25期，1936年9月。
58 《至李埏書》，錢穆：《錢賓四先生全集》第53冊，第379頁。
59 《吉川君來書》，《制言半月刊》第5期，1935年11月16日。

闡明新舊材料的關係：

> 「歷史的新材料，上古史部分如甲骨、銅器等，中古史部分如
> 石刻、敦煌文書、日本藏器之類。所謂新材料，並非從天空中
> 掉下來的，乃指新發現，或原藏於他處，或本為舊材料而加以
> 新注意、新解釋。（舊材料而予以新解釋，很危險。如作史論
> 的專門翻案，往往牽強附會，要戒惕。）必須對舊材料很熟
> 悉，才能利用新材料。因為新材料是零星發現的，是片斷的。
> 舊材料熟，才能把新材料安置於適宜的地位。正像一幅已殘破
> 的古畫，必須知道這幅畫的大概輪廓，才能將其一山一樹置於
> 適當地位，以復舊觀。在今日能利用新材料的上古史部分必對
> 經（經史子集的經，也即上古史的舊材料）書很熟，中古以下
> 必須史熟。」[60]

在1942年為楊樹達《積微居小學金石論叢續稿》所作序中，陳寅
恪再度表述了這一意思：

> 「自昔長於金石之學者，必為深研經史之人。非通經無以釋金
> 文，非治史無以證石刻。群經諸史乃古史資料多數之所匯集，
> 金文石刻則其少數脫離之片斷，未有不瞭解多數匯集之資料，
> 而能考釋少數脫離之片斷不誤者。」[61]

陳寅恪的思想，確有很強的辯證傾向，所指出新舊材料的相互關
係，便不能機械看待。治學應重視發現和運用新材料，一味用舊材料

---

60 蔣天樞：《陳寅恪先生編年事輯》（增訂本），第96-97頁。
61 《金明館叢稿二編》，第332頁。

加以新解釋，難免牽強附會之弊。因為就古史而言，舊材料已經前人檢閱，未解的部分往往證據不足，沒有新的史料則最好闕疑，不要強作解人。但新史料固然重要，畢竟只是「少數脫離之片斷」，不掌握「多數匯集」的舊史料，便不能恰當運用新材料，無法考釋「少數脫離之片斷」。

　　陳寅恪的這段話僅就新史料的運用立論，其實舊史料的重要絕不限於有助於理解新史料，而在於奠定學術的基礎，掌握歷史的大節要項，以及準確把握新史料帶來的新問題在歷史進程中所處的位置，不至於一味追求新材料以發現新問題，走入新奇偏窄的歧途。因此陳在講新材料之前，首先以舊材料為必讀書，又分為三層，一、最低限度必讀書，如《資治通鑒》、《通典》。二、進一步學習參考書，如《晉書》、《南北史》、《新唐書》。三、廣泛的研究參考書，除上述外，再加宋、南齊、梁、陳、魏、北齊、周、隋書、《舊唐書》、《冊府元龜》、《太平廣記》，以及詩文集、筆記，如《全唐詩》、《全唐文》等。他還針對時人運用西洋科學方法的誤解，指出《通鑒紀事本末》和《文獻通考》遠不及《通鑒》和《通典》，直接讀《通鑒》，可不受《紀事本末》的作者個人心中問題意識的限制，並能夠瞭解和把握史事本來相互的複雜聯繫。此一思想，實為重視基本材料價值的極為重要的觀念。以後來的問題意識和外在的解釋框架支配研究，正是近代中國學術流弊滋生的癥結所在。

　　仔細檢查史實，發表的言論傾向迥異的學人，其實際運用的方法乃至態度卻大體相通。嚴厲批評當時學人濫用甲骨和出土器物，乃至於全面抨擊新學術，被傅斯年斥為「不特自己不能用新材料，即是別人已經開頭用了的新材料，他還抹殺著」的章太炎，自稱：

　　　　「余解經與高郵同其旨趣，間或過之。並非古人讀書不多，智

慧不夠，蓋當時坊間所能供應之材料只有此數。余藉地下出土
之力始考證如許。若能繼續出土，繼續研究，或有全部講通之
一日。」[62]

這與傅斯年的主張差不多一致。章太炎晚年雖然棄精奧而講大
體，仍然承認學問的「大體」要在瑣碎的考據漸漸精密之後才能顯
現。[63]而傅斯年的找材料，開始確有尋寶之意，但不久就同意材料的
價值全在本身的可靠性，[64]認為「每每舊的材料本是死的，而一加直
接所得可信材料之若干點，則登時變成活的」。胡適稱「此意最重
要」，淺學者尚不能承受。傅斯年所以善於此技，除了「絕頂聰明」
以外，主要是「記誦古書很熟，故能觸類旁通，能從紛亂中理出頭緒
來。」[65]本來「國學家第一本領即是書塾，此皆幼年刻苦用功死讀強
記，至老不忘一字，故能左右逢源，一隅三反，非今之一知半解者所
能望其項背也」[66]，如今卻成了傅斯年的長技。他總結道：

「必於舊史料有工夫，然後可以運用新史料；必於新史料能瞭

62 任啟聖：《章太炎先生晚年在蘇州講學始末》，陳平原、杜玲玲編：《追憶章太炎》，
　　第447頁。

63 湯志鈞編：《章太炎年譜長編》下冊，第617頁。

64 傅斯年曾以午門檔案的整理「沒有什麼重要的發現」而頗感失望，李濟問以什麼叫
　　作重要發現？是否希望從中找出滿清沒有入關的證據？傅一笑了之，從此不再提及
　　（李濟：《傅孟真先生領導的歷史語言研究所——幾個基本觀念及幾件重要工作的
　　回顧》，王為松編：《傅斯年印象》，第107頁）。

65 《胡適日記》手稿本，1931年2月18日、1935年6月6日。王國維言及考古也說：「於
　　古代材料，細大均不可放過。忽其細處，則大處每不得通。此同一材料，而有所發
　　明，有所食古不化者。」（周光午：《我所知之王國維先生——敬答郭沫若先生》，
　　陳平原、王楓編：《追憶王國維》，第165頁）

66 任啟聖：《章太炎先生晚年在蘇州講學始末》，陳平原、杜玲玲編：《追憶章太炎》，
　　第446頁。

解，然後可以糾正舊史料。新史料之發見與應用，實是史學進
步的最要條件；然而但持新材料，而與遺傳者接不上氣，亦每
每是枉然。從此可知抱殘守缺，深固閉拒，不知擴充史料者，
固是不可救藥之妄人；而一味平地造起，不知積薪之勢，相因
然後可以居上者，亦難免於狂狷者之徒勞也。」[67]

　　如果說章太炎反對使用出土文字器物以證史是對濫用的反動，傅
斯年的不讀書只找史料恰是對一味死讀書成為兩腳書櫥的國學家的矯
枉過正，動手動腳的前提還是熟讀古書。

　　在追求「科學的東方學之正統在中國」方面，傅斯年的實際做法
與公開宣言之間也存在明顯反差。《旨趣》中傅斯年講到研究四裔問
題的西洋漢學其實是「虜學」，而擴充材料，擴充工具，勢必打破國
界，至於不國不故，脫離純中國材料的範圍。並且強調以「東方學」
代替「國學」，「並不是名詞的爭執，實在是精神的差異的表顯」。這
番意思在胡適訪歐時顯然與其交換過意見，所以胡適因時局動盪滯留
日本期間，到京都「支那學會」講演，就以「虜學」為題。也許是聽
眾範圍的作用，他並不主張只研究「虜學」，而強調研究中國本部。[68]

　　不過，胡適的講法之由來的另一可能性或許正是傅斯年的本意，
1934年傅斯年在承認西洋人治中外關係史等「半漢」的問題有「大重
要性」的同時，覺得「全漢」的問題更大更多，「更是建造中國史學
知識之骨架」，批評「西洋人作中國考古學，猶之乎他們作中國史學
之一般，總是多注重在外緣的關係，每忽略於內層的綱領」[69]。而在

67　《史學方法導論‧史料論略》，岳玉璽、李泉、馬亮寬編選：《傅斯年選集》，天津
　　人民出版社1996年版，第216-217頁。
68　《胡適》，《吉川幸次郎全集》第16卷，第431-433頁。
69　傅斯年：《〈城子崖〉序》，岳玉璽、李泉、馬亮寬編選：《傅斯年選集》，第293-294
　　頁。

此之前，1929年他甚至提議陳寅恪領軍研究「比較純粹中國學問」的「新宋史」，以免「非與洋人拖泥帶水不可」[70]。陳寅恪是當時中國學人中最有條件和能力依照歐洲東方學之正統治「虜學」之人，照此看來，傅斯年在以宣言的形式斷絕那些並不瞭解「東方學正統」的國學家趨時的念頭並將他們統統打入另冊後，其與歐洲東方學角勝的路徑，並非「步法國漢學之後塵」，一旦成功地對國學家「標新」，他對歐洲東方學也要「立異」了。而立異的本錢，仍然是「比較純粹」的「中國學問」。所以，「要科學的東方學之正統在中國」的所謂「正統」，還是有華洋之別，而不僅是將中心從歐洲奪回中國而已。

四　專精與博通

太炎學派失勢後，躍居主流的胡適、傅斯年一派與非主流派的矛盾仍然延續，而與錢穆的分歧頗具代表性。錢穆於1930年代即不滿於專尚考據的學風，有意調和漢宋，主張「非碎無以立通」和「義理自故實出」[71]。抗戰期間，錢穆等人試圖扭轉「考據風尚的畸形發展」，1941年4月，錢穆應邀在江蘇同鄉會演講「我所提倡的一種讀書方法」，批評「現在人太注意專門學問，要做專家。事實上，通人之學尤其重要。做通人的讀書方法，要讀全書，不可割裂破碎，只注意某一方面；要能欣賞領會，與作者精神互起共鳴；要讀各方面高標準的書，不要隨便亂讀。……讀一書，不要預存功利心，久了自然有益。」[72]他邀請蒙思明到齊魯大學國學研究所講演「史學方法在史學

---

70 1929年9月9日傅斯年致陳寅恪，引自羅志田：《史料的儘量擴充與不看二十四史——民國新史學的一個詭論現象》，《歷史研究》2000年第4期。

71 錢穆：《古史辨》第4冊序言。

72 嚴耕望：《錢穆賓四先生與我》，第48頁。

上的地位」，並要其將講稿寫出，改題「考據在史學上的地位」，交由
《責善》半月刊發表。蒙文批評近數十年來學術界以考據為「史學的
正宗」和「唯一的內容」，分析了考據風尚壓倒一切的原因，指出清
代樸學和近代歐洲考據之盛的背景得失，強調考據不能獨當史學重
任，而且考據必須歷史哲學的領導、有博大鴻闊的學識以及有實用價
值。總之，「需要有目的的考據，更精密的考據學，具特識的考據
家。否則整理國故，再造文明的鴻願，永遠是一個鴻願而已。」[73]

　　與錢穆志同道合者還有張蔭麟、張其昀、陳夢家等人。尤其是張
蔭麟，早在1930年代即與錢穆相識於北平，「共有志為通史之學」。張
蔭麟逝世後，錢穆等人借悼念之機，再度提出「中國今日所需要之新
史學與新史學家」的問題，他們顯然認為史語所式的道路並不能成就
新史學，能夠完成新史學的新史學家，必須具備一、於世事現實有極
懇切之關懷；二、明於察往，勇於迎來，不拘拘於世事現實；三、於
天界物界人界諸凡世間諸事相各科學智識有相當曉了；具哲學頭腦，
能融會貫通時空諸事態相互間之經緯條理。張蔭麟「博通中西文哲諸
科，學既博洽，而復關懷時事，不甘僅僅為記注考訂而止。然則中國
新史學之大業，殆將於張君之身完成之。」[74]推崇張蔭麟絕非僅僅為
故人說好話，用意在於標明自己的為學之道，破主流派對新史學的主
導，並且另立新史學的範疇。

　　1930年代初，傅斯年對錢穆著《劉向歆父子年譜》破當時經學界
之今文學派及史學界之疑古派表示贊同，繼此以往，則與錢穆意見多
不合。[75]這與陳寅恪推崇《先秦諸子繫年》、讚揚《國史大綱》的態度

73　蒙思明：《考據在史學上的地位》，《責善半月刊》第2卷第18期，1941年12月1日。

74　錢穆：《中國今日所需要之新史學與新史學家》，《思想與時代》月刊第18期，1943
　　年1月1日。

75　錢穆：《八十憶雙親·師友雜憶》，第168頁。

明顯有別。所以陳寅恪雖然加入史語所，其與傅斯年的志同道合實有一定限度，相異的一面，要從他與各種非主流派的關係及相互品評中才能看得清楚。1933年11月，陳寅恪曾致函傅斯年，鄭重推薦獲得斯坦福大學哲學博士、即將歸國的張蔭麟進入史語所或北京大學史學系，函謂：

> 「張君為清華近年學生品學具佳者中之第一人，弟嘗謂庚子賠
> 款之成績，或即在此一人之身也。張君頗年少，所著之學術論
> 文多為考證中國史性質……。其人記誦博洽而思想有條理，以
> 之擔任中國通史課，恐現今無更較渠適宜之人。若史語所能羅
> 致之，則必為將來最有希望之人材，弟敢書具保證者，蓋不同
> 尋常介紹友人之類。」

陳寅恪寫過不少推薦信，但如此推重者則絕無僅有，相信張蔭麟確係其心目中的學術傳人。而傅斯年在用人方面一般相當注重陳的意見，這一次卻意外地不予採納，藉口「此事現以史語所之經費問題似談不到」[76]，推給北大的胡適和陳受頤。後來張蔭麟連北大也沒有進，還是回到母校清華大學任教。依照當時情形，除非張本人不情願或傅斯年不贊同，否則無論是北大還是史語所，均非難事。傅斯年的態度反映出他對張蔭麟的治學路線有所保留，而這也是他與陳寅恪分歧的關鍵。

傅斯年極希望攏入所內的陳垣，也主張專門學問，早期著作多為尋空蹈隙，提出重要問題，與傅斯年的旨趣相當接近。他始終不肯為史語所專職，人事關係的因素外，對傅斯年的極端主張有所保留恐怕

---

76 程巢父：《仁者之懷》，張傑、楊燕麗選編：《追憶陳寅恪》，第381頁。

也是顧慮的要因。傅氏的專精斷代，有不顧前後之嫌，陳垣的「專精一二類或一二朝代」[77]，則並不反對「博」，他本人的著述，也不限於某朝某類。其後來著作，仍以「竭澤而漁」之法搜集大量罕見史料，但與陳寅恪一樣，極其重視正史和《資治通鑒》，精於考證而不以考證為目的，認為治史以明義為終極目的，而且作考證時也不可不明義。[78]二陳的態度，在某種程度上是對錢穆等人的支持，而與史語所的離異。

　　儘管錢穆對主流派的不滿以及別樹一幟的意圖相當明顯，置身學術圈內，顧及人事糾葛，仍然有所隱諱。直到1950年代在香港創辦新亞研究所，相對獨立於派系紛爭之外，其言論才由曲筆而直白。在《新亞學報・發刊詞》中，錢穆公開對民國以來中國學術界的派分直截了當地做了系統的分析和批評，鋒芒所向，直指史語所的宗旨方針。此文為「昭示來學者之方向與準繩」，「差免門戶之見，或有塗轍可遵」，可謂其早年調和漢宋之遠大抱負的集大成。他開章明義地指出：中國學術界幾十年來不斷發生由漢宋之爭變相而來的爭議，「一方面高抬考據，輕視義理。其最先口號，厥為以科學方法整理國故，繼之有窄而深的研究之提倡。此派重視專門，並主張為學術而學術。反之者，提倡通學，遂有通才與專家之爭。又主明體達用，謂學術將以濟世。因此菲薄考據，謂學術最高標幟，乃當屬於義理之探究。」

　　對於兩派的分歧，錢穆一方面批評當時學術界的大病，「在於虛而不實」，「一般新進，多鄙薄學問知識，而高談思想理論。不悟其思想理論之僅為一人一時之意見，乃不由博深之知識來。其所講知識，皆淺嘗速化，道聽塗說，左右採獲，不由誠篤之學問來。若真求學

77　1933年6月24日致蔡尚思，陳智超編注：《陳垣來往書信集》，第355頁。

78　年潤孫：《從〈通鑒胡注表微〉論援庵先師的史學》，陳智超編：《勵耘書屋問學記——史學家陳垣的治學》，第70頁。

問，則必遵軌道，重師法，求系統，務專門，而後始可謂之真學問。
有真學問，始有真知識，有真知識，始得有真思想與真理論。」反對
將思想與理論視為脫韁之馬，任意馳騁，不受控制。而主要矛頭，則
指向重考據專門的主流派。

　　錢穆承認成學立說須重明據確證，而考據「乃證定知識之法門，
為評判是非之準的」，否則，空言義理，爭是非，勢必成為意見與意
氣。然而，如果只將書籍當作一堆材料，而不視為學問之對象，就會
一味找前人之罅縫與破綻與間隙，「最好是書有不可信，否則覓人間
未見書，此所謂未經發現之新材料。因謂必有新材料，始有新學問。
此乃以考據代學問」。從以科學方法整理國故，到窄而深的研究，其
初衷雖然廣大，但不識學問大體，「道術已裂，細碎相逐，乃至互不
相通，僅曰上窮碧落下黃泉，動手動腳找材料。其考據所得，縱謂盡
科學方法之能事，縱謂達客觀精神之極詣，然無奈其內無邃深之旨
義，外乏旁通之途轍」。欲為中國學術開新風氣，闢新路向，必須將
兩種趨勢，會通博綜，冶於一爐，考據義理並重，中學西學相容，通
學在前，專精繼後，先識大體，對治學問的知識有寬博成系統之認
識，然後進而為窄而深的研討。[79]

　　調和漢宋，為晚清學術的普遍趨向，此事包括兩個層面，其一，
以一人之力會通博綜；其二，同一時代兩派相容。前者可遇不可求，
阮元、陳澧等人的努力並不為各派所認可，以為有牽強附會之嫌。錢
穆后來治學也偏於義理，所提論點，雖實有理據，仍往往如天馬行
空，與稱為史學一大中心的史語所不相合拍，因此長期被排斥於主流
之外，直到1968年才當選為中研院院士。此事嚴耕望稱為「象徵中國
文史學界同異學派之結合，尤具重大意義」[80]，也只是默認而已，並

79　《新亞學報》第1期，1955年8月。感謝陳以愛女士寄贈此文。
80　嚴耕望：《錢穆賓四先生與我》，第31頁。

未達到相容溝通的境界。

其實，錢穆雖然認為學問的提高「並不重在材料搜輯，及方面之推廣，更重者，乃在其根源處加高加深，俟此方面培養深厚，則材料方面，自可迎刃而解。須知同一材料，須視運用者之學力識力而判決其成績。今之學者，所患正在不於本源處登高入深，而只忙於方面之開擴，材料之累積，則盡日窮年，終無成就而已」，明顯針對主流派的「途轍」，但他本人自認有「考據癖」，要人治學於天分以外，必須濟以功力，40歲以後當力求專精，治理學須從年譜、詩文集入手，再及其語錄，對自己的等身著作也以《先秦諸子繫年》為貢獻最大，可與古人相擬，與主流派的見解並無根本分歧。[81]

錢穆的弟子而被傅斯年選入史語所的嚴耕望也主張既要專精，又要相當博通；斷代研究，但不要把時間限制得太短促；要看書，不要只抱個題目去翻材料，而且明確所謂基本材料書，最主要的是指專題研究所屬時代的正史。這些如果不是異端，至少是在修正傅斯年所提倡的史語所旨趣以及受此影響而形成的時代學術風尚了。只是以個人之力而會通博綜，極難達到，更不易把握，近代學術史上，惟陳寅恪的「講宋學，做漢學」庶幾近之。

晚清以來，學術的代際興替好走極端，民國尤甚。太炎門生取代桐城文派，史學革命又推翻浙學一統，都是否認繼承（對再上一代倒可以認同），而誇大差異。待到升上主流地位，立論才能不斷修正，漸趨公允，但就難免被後浪趕超。而且發跡時的故意偏激在平和以後仍有巨大慣性，始作踊者或許心知肚明，順其勢者則不免每下愈況。所以，由偏激以至眾從的主流派雖然人多勢盛，學術路徑卻往往不循

---

81 《致繆子韻書》、《致徐復觀書》、《致余英時書》，《錢賓四先生全集》第53冊，第201-202、331、413頁。

正軌，把握近代中國學術轉承的脈絡，反而不能以此為線。學術本來
要在溝通，強分彼此，其實是等而下之。而分的依據，近代以來主要
來自西學一面，除了學術背景確有差異外，分歧的原因在於對籠統的
西學各取所需。錢穆批評胡適「一生不講西方精微處，專意呵斥本國
粗淺處」[82]，實則胡適所講正是他所知西學的精微。

　　早在1911年王國維就指出：「學無新舊也，無中西也，無有用無
用也，凡立此名者，均不學之徒，即學焉而未嘗知學者也。」[83]近代
學術史上真正建樹大見識高而又大體得到新舊各方公認者，如王國
維、陳垣、陳寅恪等，都不必因緣主流的興替，而達到超越主流的學
術高峰。循著太炎學派到科學主義的主流脈絡，雖能求得近代中國學
術量的擴張情形，卻難以把握質的提高因由，近時勢而遠軌則。錢穆
曾告誡弟子：

> 「學絕道喪，青黃不接，今之來者勢須自學自導自尋蹊徑，此
> 雖艱巨，然將來果有成就，必與依牆附壁者不同。就以往學術
> 史言，一時代之大師均於學絕道喪之環境中奮然崛起，若風氣
> 已成，轉少傑出。即如晚明諸老之與乾嘉盛世，豈不如是。是
> 乃天啟大緣，然亦待奇才大志乃克應運而起耳。」[84]

　　這對於理解近代學術轉承的脈絡得失，不無啟迪。

82　《致徐復觀書》，《錢賓四先生全集》第53冊，第322頁。
83　《〈國學叢刊〉序》，《觀堂別集》卷4，《王國維遺書》第三冊，第202頁。
84　《致余英時書》，《錢賓四先生全集》第53冊，第407頁。

再版後記

　　本書首版，已逾十年。相關認識，間有變化之處。初版後，隨時有所校訂，原擬再版時略作修改。但一則友人告以最好儘量保持原狀，以便利用；二則調整的認識陸續寫入新的論著之中，可以比較參看。因此，本版只做若干技術性改動：一，校正個別字句的錯誤。二，調整、增加自然分段。三，依照現行規定統一規範注釋。四，重新編排徵引文獻。五，增附主要人名索引。

徵引書目

一　著述文獻

アンリ・マスペロ著，內藤耕次郎、內藤戊申共譯：《最近五十年支那學界の回顧》，《東洋史研究》第1卷第1號，1935年1月；第6號，1936年8月。

白吉庵：《胡適傳》，北京，人民出版社，1993年。

北京大學中國中古史研究中心編：《紀念陳寅恪先生誕辰百年學術論文集》，北京大學出版社，1989年。

Berthold Laufer: 1874-1913, Monvmenta Serica Journal of Oriental Studies（華裔學志），Vol.I.ffscII, 1935。

濱田青陵：《東方考古學協會と東亞考古學會》，《民族》第2卷第4號，1927年5月。

柴德賡：《我的老師陳垣先生》，《文獻》1980年第2輯。

蔡元培：《蔡元培自述》，臺北，傳記文學出版社，1978年。

長瀨誠：《日本之現代中國學界展望》，華文《大阪每日》第2卷第8期，1939年4月。

陳德溥編：《陳黻宸集》上下，北京，中華書局，1995年。

陳鴻祥著：《王國維年譜》，濟南，齊魯出版社，1991年。

陳樂素、陳智超編校：《陳垣史學論著選》，上海人民出版社，1981年。

陳平原、杜玲玲編：《追憶章太炎》，北京，中國廣播電視出版社，1997年。

陳平原、王楓編：《追憶王國維》，北京，中國廣播電視出版社，1997
　　　年。

陳平原：《中國現代學術之建立——以章太炎、胡適之為中心》，北京
　　　大學出版社，1998年。

陳平原、鄭勇編：《追憶蔡元培》，北京，中國廣播電視出版社，1997
　　　年。

陳橋驛：《〈水經注〉研究二集》，太原，山西人民出版社，1987年。

陳清泉等編：《中國史學家評傳》下，鄭州，中州古籍出版社，1985
　　　年。

陳三立著，錢文忠標點：《散原精舍文集》，瀋陽，遼寧教育出版社，
　　　1998年。

陳守實：《學術日錄〔選載〕・記梁啟超、陳寅恪諸師事》，《中國文化
　　　研究集刊》第1輯，上海，復旦大學出版社，1984年。

陳星燦：《中國史前考古學史研究：1895-1949》，北京，生活・讀
　　　書・新知三聯書店，1997年。

陳以愛：《中國現代學術研究機構的興起——以北京大學研究所國學
　　　門為中心的探討（1922-1927）》，臺北，政治大學歷史學
　　　系，1999年。

陳寅恪：《寒柳堂集》，上海古籍出版社，1980年。

陳寅恪：《金明館叢稿二編》，上海古籍出版社，1980年。

《陳寅恪史學論文選集》，上海古籍出版社，1992年。

陳源著，吳福輝編：《西瀅閒話》，深圳，海天出版社，1992年。

陳哲三：《陳寅恪先生軼事及其著作》，《傳記文學》第16卷第3期，
　　　1970年3月。

陳智超編注：《陳垣來往書信集》，上海古籍出版社，1990年。

陳智超編：《勵耘書屋問學記——史學家陳垣的治學》，北京，生活・
　　　讀書・新知三聯書店，1982年。

程光裕：《常溪集》，臺北，中國文化大學出版部，1996年。

程美寶：《陳寅恪與牛津大學》，《歷史研究》2000年第3期。

丁文江、趙豐田編：《梁啟超年譜長編》，上海人民出版社，1983年。

杜正勝：《從疑古到重建——傅斯年的史學革命及其與胡適、顧頡剛的關係》，《當代》第116期，1995年12月。

方豪：《方豪六十自定稿》，臺北，學生書局，1969年。

方利山：《胡適重審「《水經注》公案」淺議》，耿雲志、聞黎明編：《現代學術史上的胡適》，北京，生活・讀書・新知三聯書店，1993年。

傅樂成：《我怎樣學起歷史來》，《傳記文學》第44卷第5期，1984年5月。

傅斯年：《傅斯年全集》，臺北，聯經出版事業有限公司，1980年。

傅振倫：《傅振倫文錄類選》，北京，學苑出版社，1994年。

傅振倫：《蒲梢滄桑・九十憶往》，上海，華東師範大學出版社，1997年。

高平叔編：《蔡元培全集》1-7卷，北京，中華書局，1984-1988年。

郜元寶編：《胡適印象》，上海，學林出版社，1997年。

耿升整理：《戴密微》，《中國史研究動態》1979年第6期。

耿雲志、歐陽哲生編：《胡適書信集》上中下冊，北京大學出版社，1996年。

耿雲志主編：《胡適遺稿及秘藏書信》，合肥，黃山書社，1994年。

耿雲志：《胡適年譜》，成都，四川人民出版社，1989年。

耿雲志、聞黎明編：《現代學術史上的胡適》，北京，生活・讀書・新知三聯書店，1993年。

Gilbert Rozman: Soviet Studies of Premodern China, Center for Chinese Studies The University of Michigan, 1984。

顧潮編著：《顧頡剛年譜》，北京，中國社會科學出版社，1993年。

顧潮：《歷劫終教志不灰──我的父親顧頡剛》，上海，華東師範大學
　　　　出版社，1997年。

顧頡剛編著：《古史辯》一，上海古籍出版社，1982年。

顧頡剛編著：《古史辨》二，北京，樸社，1933年。

《顧頡剛遺劄》，王元化主編：《學術集林》卷一，上海，遠東出版
　　　　社，1994年。

顧廷龍校閱：《藝風堂友朋書劄》上下，上海古籍出版社，1980年。

顧學頡校注：《白居易集》，北京，中華書局，1988年。

廣東省文史館、佛山大學佛山文史研究室編：《洗玉清文集》，廣州，
　　　　中山大學出版社，1995年。

賀昌群著：《賀昌群史學論著選》，北京，中國社會科學出版社，1985
　　　　年。

後藤孝夫：《辛亥革命から滿洲事變へ：大阪朝日新聞と近代中國》，
　　　　東京，株式會社みす

ず書房，1987年。

《胡適留學日記》，臺北，商務印書館，1959年。

《胡適日記》（手稿本），臺北，遠流出版事業有限股份公司，1990年。

《胡適文存三集》，上海，亞東圖書館，1930年。

《胡適文存》，臺北，遠東圖書公司，1953年。

《胡適研究叢刊》第2輯，北京，中國青年出版社，1996年。

胡頌平編：《胡適之先生晚年談話錄》，北京，中國友誼出版公司，
　　　　1993年。

胡守為主編：《柳如是別傳與國學研究──紀念陳寅恪教授學術討論
　　　　會論文集》，杭州，浙江人民出版社，1995年。

黃伯易：《憶東南大學講學時期的梁啟超》，《文史資料選輯》第94
　　　　輯，北京，文史資料出版社，1984年。

黃福慶：《近代日本在華文化及社會事業之研究》，臺北，中央研究院
　　　　近代史研究所專刊（45），1982年。

《吉川幸次郎全集》第16-22卷，東京，築摩書房，1974-1976年。

季羨林：《懷舊集》，北京大學出版社，1996年。

暨南大學編：《陳垣教授誕生百一十週年紀念文集》，廣州，暨南大學
　　　　出版社，1994年。

《紀念陳垣校長誕生110週年學術論文集》，北京師範大學出版社，
　　　　1990年。

紀念陳寅恪教授國際學術討論會秘書組編：《紀念陳寅恪教授國際學
　　　　術討論會文集》，廣州，中山大學出版社，1989年。

姜亮夫：《憶清華國學研究院》，王元化主編：《學術集林》卷一，上
　　　　海，遠東出版社，1994年。

姜義華主編，沉寂編：《胡適學術文集‧新文學運動》，北京，中華書
　　　　局，1993年。

蔣復璁：《追念逝世五十年的王靜安先生》，《幼獅文藝》第47卷第6
　　　　期，1978年6月。

蔣復聰：《追憶胡適之先生》，《文星》第9卷第5期，1962年3月。

蔣俊：《中國史學近代化進程》，濟南，齊魯書社，1995年。

蔣夢麟：《西潮》，瀋陽，遼寧教育出版社，1997年。

蔣天樞：《陳寅恪先生編年事輯》（增訂本），上海古籍出版社，1997
　　　　年。

《蔣廷黻回憶錄》，臺北，傳記文學出版社，1984年。

今關壽麿：《近代支那の學藝》，東京，民友社，1931年。

李鍾湘：《國立西南聯合大學始末記》，《傳記文學》第39卷第2期，
　　　　1981年8月。

勞幹：《憶陳寅恪先生》，《傳記文學》第17卷第3期。

李福清（B.Riftin）：《中國現代文學在俄國（翻譯及研究）》，閻德純主
　　　　編：《漢學研究》第1集，北京，中國和平出版社，1996年。

李榮安、方駿、羅天祐編：《中國自由教育：五四的啟示》，朗文（朗
　　　　曼）出版有限公司，2000年。

李慶：《胡適和諸橋轍次的筆談》，《學術集林》卷十，上海，遠東出
　　　　版社，1997年。

梁啟超：《飲冰室文集》，上海，廣智書局，1908年。

梁啟超：《飲冰室專集》，臺北，中華書局，1972年。

梁啟超：《清代學術概論》，北京，東方出版社，1996年。

梁啟超：《中國近三百年學術史》，北京，東方出版社，1996年。

梁繩禕：《外國漢學研究概觀》，《國學叢刊》第2期，1942年1月。

廖幼平編：《廖季平年譜》，成都，巴蜀書社，1985年。

林語堂：《無所不談合集》，臺北，開明書店，1985年。

《林語堂自傳》，南京，江蘇文藝出版社，1995年。

劉北汜：《憶朱自清先生》，《新文學史料》1982年第4期。

劉桂生：《陳寅恪、傅斯年留德學籍材料之劫餘殘件》，北京大學歷史
　　　　學系編：《北大史學》第4期，北京大學出版社，1997年。

劉起釪：《顧頡剛先生學述》，北京，中華書局，1986年。

劉炎生：《林語堂評傳》，南昌，百花洲文藝出版社，1994年。

劉寅生、房鑫亮編：《何炳松文集》第3卷，北京，商務印書館，1996
　　　　年。

羅爾綱：《師門五年記‧胡適瑣記》，北京，生活‧讀書‧新知三聯書
　　　　店，1995年。

羅根澤編著：《古史辨》四，上海古籍出版社，1982年。

羅森等：《早期日本遊記五種》，長沙，湖南人民出版社，1983年。

羅志田：《史料的儘量擴充與不看二十四史——民國新史學的一個詭
　　　　論現象》，《歷史研究》2000年第4期。

羅志田：《「新宋學」與民初考據史學》，《近代史研究》1998年第1期。

魯迅博物館藏：《周作人日記》影印本，鄭州，大象出版社，1996年。

《魯迅全集》，北京，人民文學出版社，1989年。

《魯迅全集》第3卷，北京，人民文學出版社，1956年，

瑪麗昂娜‧巴斯蒂著，張富強、趙軍譯：《清末赴歐的留學生們——
　　　福州船政局引進近代技術的前前後後》，中南地區辛亥革命
　　　史研究會、武昌辛亥革命研究中心編：《辛亥革命史叢刊》
　　　第8輯，北京，中華書局，1991年。

毛子水：《記陳寅恪先生》，《傳記文學》第17卷第2期。

梅原末治：《考古學六十年》，東京，平凡社，1973年。

牟潤孫：《海遺雜著》，香港，中文大學出版社，1990年。

內藤虎次郎：《新支那論》，東京，博文堂，1924年。

牛潤珍著：《陳垣學術思想評傳》，北京圖書館出版社，1999年。

歐陽哲生編：《胡適文集》1-12，北京大學出版社，1998年。

潘懋元、劉海峰編：《中國近代教育史資料彙編‧高等教育》，上海教
　　　育出版社，1993年。

浦江清：《清華園日記‧西行日記》，北京，生活‧讀書‧新知三聯書
　　　店，1987年。

齊家瑩編撰，孫敦恒審校：《清華人文學科年譜》，北京，清華大學出
　　　版社，1999年。

錢基博：《現代中國文學史》，上海，世界書局，1935年。

錢穆：《八十憶雙親‧師友雜憶》，北京，生活‧讀書‧新知三聯書
　　　店，1998年。

錢穆：《錢賓四先生全集》第53冊，臺北，聯經出版事業公司，1998
　　　年。

錢文忠編：《陳寅恪印象》，上海，學林出版社，1997年。

橋川時雄：《中國文化界人物總鑒》，長春，滿洲行政學會株式會社
　　　　1940年版，株式會社名著普及會1982年再版。

青木正兒：《江南春》，東京，平凡社，1972年。

青木正兒：《支那文藝論藪》，東京，弘文堂，1927年。

璩鑫圭、唐良炎編：《中國近代教育史資料彙編・學制演變》，上海教
　　　　育出版社，1991年。

山根幸夫：《東方文化學院の設立とその展開》，《近代中國研究論
　　　　集》，東京，山川出版社，1981年。

桑兵：《國學與漢學——近代中外學界交往錄》，杭州，浙江人民出版
　　　　社，1999年。

桑兵：《胡適與國際漢學界》，《近代史研究》1999年第1期。

桑兵：《甲午臺灣內渡官紳與庚子勤王運動》，《歷史研究》1995年第6
　　　　期。

桑兵：《論庚子中國議會》，《近代史研究》1997年第2期。

桑兵：《伯希和與中國學術界》，《歷史研究》1997年第5期。

桑兵：《新加坡華僑與庚子勤王運動》，中山大學孫中山研究所編：
　　　　《孫中山與華僑——「孫中山與華僑」學術研討會論文集》
　　　　（《孫中山研究論叢》第13集），廣州，中山大學出版社，
　　　　1996年。

上海圖書館編：《汪康年師友書劄》1-4，上海古籍出版社，1986-
　　　　1988年。

沈尹默：《我和北大》，政協全國委員會：《文史資料選集》第61輯，
　　　　北京，中華書局，1979年。

施培毅、徐壽凱校點：《吳汝綸全集》，合肥，黃山書社，2002年。

石泉：《甲午戰爭前後之晚清政局》，北京，生活・讀書・新知三聯書
　　　　店，1997年。

孫常煒編著：《蔡元培先生年譜傳記》，臺北，國史館，1986年。

孫敦恒：《王國維年譜新編》，北京，中國文史出版社，1991年。

孫敦恒：《清華國學研究院紀事》，葛兆光主編：《清華漢學研究》第1
　　　輯，北京，清華大學出版社，1994年。

湯志鈞：《章太炎在臺灣》，《社會科學戰線》1982年第4期。

唐德剛譯注：《胡適口述自傳》，上海，華東師範大學出版社，1993年。

唐振常：《吳虞與青木正兒》，《中華文史論叢》1981年第3輯，上海古
　　　籍出版社，1981年。

陶存煦遺稿：《天放樓文存》上下冊，影印稿本。

陶飛亞、吳梓明著：《基督教大學與國學研究》，福州，福建教育出版
　　　社，1998年。

陶希聖：《潮流與點滴》，臺北，傳記文學出版社，1979年。

藤枝晃：《アレクセ——エフ教授の業績》，《東方學報》第10冊第1
　　　分，1939年5月。

萬平近：《林語堂評傳》，重慶出版社，1996年。

汪榮祖：《陳寅恪評傳》，南昌，百花洲文藝出版社，1992年。

汪毅夫：《魯迅在廈門若干史實考》，《福建師大學報》1978年第3期。

王汎森：《什麼可以成為歷史證據——近代中國新舊史料觀念的衝
　　　突》，《新史學》第8卷第2號，1997年。

王汎森、杜正勝：《傅斯年文物資料選輯》，臺北，傅斯年先生百齡紀
　　　念籌備會，1995年印行。

王德昭：《清代科舉制度研究》，香港，中文大學出版社，1982年。

《王國維遺書》，上海書店出版社，1996年。

王晴佳：《論二十世紀中國史學的方向性轉摺》，錢伯誠、李國章主
　　　編：《中華文史論叢》第62輯，上海古籍出版社，2000年。

王世儒、聞笛編：《我與北大——「老北大」話北大》，北京大學出版
　　　社，1998年。

王曉秋：《近代中日關係史研究》，北京，中國社會科學出版社，1997
　　　　年。

王熙華：《顧頡剛致王國維的三封信》，《文獻》第15輯。

王永興編：《紀念陳寅恪先生百年誕辰學術論文集》，南昌，江西教育
　　　　出版社，1994年。

吳魯芹：《記珞珈三傑》，《傳記文學》第35卷第4期，1979年10月。

吳宓著，吳學昭整理注釋：《吳宓日記》1-10冊，北京，生活・讀
　　　　書・新知三聯書店，1998-1999年。

吳宓著，吳學昭整理：《吳宓自編年譜》，北京，生活・讀書・新知三
　　　　聯書店，1995年。

吳其昌：《子馨文在》上、下，沈雲龍編：《中國近代史料叢刊》續編
　　　　第81輯之807、808，臺北，文海出版社印行。

吳汝倫：《桐城吳先生（汝綸）日記》，沈雲龍主編：《近代中國史料
　　　　從刊》第37輯之367，臺北，文海出版社印行。

吳學昭：《吳宓與陳寅恪》，北京，清華大學出版社，1992年。

吳澤主編，劉寅生、袁光英編：《王國維全集・書信》，北京，中華書
　　　　局，1984年。

《頡剛日程》，顧潮女士提供的抄件。

《論學談詩二十年——胡適楊聯升往來書劄》，臺北，聯經出版事業
　　　　公司，1998年。

武內義雄：《南北學術の異同に就きて》，《支那學》第1卷第10號，
　　　　1921年6月。

《先學を語る：內藤湖南博士》，《東方學》第47輯，1974年1月。

退庵匯稿年譜編印會：《葉退庵先生年譜》，退庵匯稿年譜編印會，
　　　　1946年。

夏曉紅編：《追憶梁啟超》，北京，中國廣播電視出版社，1997年。

蕭公權：《問學諫往錄——蕭公權治學漫憶》，上海，學林出版社，1997年。

忻平：《治史須重考據，科學人文並重——南加尼弗尼亞洲何炳棣教授訪問記》，《史學理論研究》1997年第1期。

徐雪筠等譯編：《上海近代社會經濟發展概況（1882-1931）——〈海關十年報告〉譯編》，上海社會科學出版社，1985年。

《學問の思い出——橋川時雄先生を圍んで》，《東方學》第35輯，1968年1月。

《學問の思い出——青木正兒博士を圍んで》，《東方學》第31輯，1965年11月。

《學問の思い出——倉石武四郎博士を圍んで》，《東方學》第40輯，1970年9月。

《學問の思い出——竹田復博士を圍んで》，《東方學》第37輯，1969年3月。

《學問の思い出——今關天彭先生を圍んで》，《東方學》第33輯，1967年1月。

《學問の思い出——梅原末治博士を圍んで》，《東方學》第38輯，1969年8月。

《學問の思い出——原田淑人博士を圍んで》，《東方學》第25輯，1963年3月。

《學問の思い出：江上波夫先生を圍んで》，《東方學》第82輯，1991年7月。

雅克・布洛斯（Jacque brosse）著，李東日譯：《從西方發現中國到國際漢學的緣起》，《國際漢學》編委會編：《國際漢學》第1期，北京，商務印書館，1995年。

嚴耕望：《錢穆賓四先生與我》，臺北，商務印書館，1994年。

嚴耕望：《治史答問》，臺北，商務印書館，1995年。

嚴耕望：《治史經驗談》，臺北，商務印書館，1997年。

岩松五良：《歐米に於ける支那學の近狀》，《史學雜誌》第33編第3
　　　　號，1922年3月。

楊步偉：《雜記趙家》，瀋陽，遼寧教育出版社，1998年。

楊犁編：《胡適文萃》，作家出版社，1991年。

楊聯升：《陳寅恪先生隋唐史第一講筆記》，《清華校友通訊》1970年4
　　　　月29日。

楊樹達：《積微翁回憶錄》，上海古籍出版社，1986年。

葉昌熾：《藏書紀事詩》，中國目錄學名著第1集第6冊，臺北，世界書
　　　　局，1965年。

余英時：《中國近代思想史上的胡適》，《傳記文學》第44卷第6期，
　　　　1984年6月。

《羽田博士史學論文集》，京都大學東洋史研究會，1958年。

袁光英、劉寅生：《王國維年譜長編》，天津人民出版社，1996年。

袁祥輔：《漫談譚家菜》，中國人民政治協商會議會議北京市委員會文
　　　　史資料研究委員會編：《文史資料選編》第24輯，北京出版
　　　　社，1985年。

岳玉璽、李泉、馬亮寬編選：《傅斯年選集》，天津人民出版社，1996
　　　　年。

曾慕韓先生遺著編輯委員會編：《曾慕韓先生遺著》，臺北，中國青年
　　　　黨中央執行委員會，1954年。

張國剛：《德國的漢學研究》，北京，中華書局，1994年。

張傑、楊燕麗選編：《解析陳寅恪》，北京，社會科學文獻出版社，
　　　　1999年。

張傑、楊燕麗選編：《追憶陳寅恪》，北京，社會科學文獻出版社，
　　　　1999年。

張靜廬輯注：《中國近代出版史料初編》，北京，中華書局，1957年。

張若英編：《中國新文學運動史資料》，1934年版，香港中文大學近代
　　　　史料出版組，1973年影印。

張憲文整理：《林公鐸藏劄二十九通》，《文獻》季刊，1992年第3期。

趙白生編：《中國文化名人畫名家》，北京，中央編譯出版社，1995年。

趙炳麟：《趙柏岩集》，沈雲龍編：《中國近代史料叢刊》第31輯之
　　　　303，臺北，文海出版社印行。

趙清、鄭誠編：《吳虞集》，成都，四川人民出版社，1985年。

鄭良樹編著：《顧頡剛學術年譜簡編》，北京，中國友誼出版公司，
　　　　1987年。

鄭師渠：《晚清國粹派——文化思想研究》，北京師範大學出版社，
　　　　1993年。

鄭天挺：《五十自述》，《天津文史資料選輯》第28輯，天津人民出版
　　　　社，1984年。

中國革命博物館整理，榮孟源審校：《吳虞日記》上下冊，成都，四
　　　　川人民出版社，1984、1986年。

中國人民政治協商會議江蘇省無錫縣委員會編：《錢穆紀念文集》，上
　　　　海人民出版社，1992年。

中國社會科學院近代史研究所民國史組編：《胡適來往書信選》上中
　　　　下冊，北京，中華書局，1979-1980年。

中國社會科學院近代史研究所中華民國史研究室編：《胡適的日記》，
　　　　中華書局香港分局，1985年。

中華民國大學院編：《全國教育會議報告》，沈雲龍編：《近代中國史
　　　　料叢刊續編》第43輯之429，臺北，文海出版社印行。

中央研究院歷史語言研究所編印：《中央研究院歷史語言研究所七十
　　　　週年紀念文集：新學術之路》，臺北，1998年。

周啟付：《魯迅與胡適》，宋慶齡基金會、西北大學主辦：《魯迅研究
　　　　年刊》1990年號，北京，中國和平出版社，1990年。

周作人：《苦茶——周作人回想錄》，蘭州，敦煌文藝出版社，1995年。

朱傳譽主編：《陳寅恪傳記資料》1-2，臺北，天一出版社，1979-
　　　　1980年。

朱聯保編撰：《近現代上海出版業印象記》，上海，學林出版社，1993
　　　　年。

朱喬森編：《朱自清全集》第4卷，南京，江蘇教育出版社，1990年。

朱喬森編：《朱自清全集》第9卷日記編，南京，江蘇教育出版社，
　　　　1997年。

朱維錚編：《章太炎全集》第3卷，上海人民出版社，1984年。

朱維錚編：《周予同經學史論著選集》，上海人民出版社，1983年。

朱維錚：《清學史：漢學與反漢學一頁》上，《復旦學報》社科版1993
　　　　年第5期。

朱維錚校注：《梁啟超論清學史二種》，上海，復旦大學出版社，1985
　　　　年。

朱維鉦：《求索真文明——晚清學術史論》，上海古籍出版社，1997年。

朱有瓛主編：《中國近代學制史料》第2輯，上海，華東師範大學出版
　　　　社，1987年。

諸橋轍次：《支那の文化と現代》，東京，皇國青年教育會，1942年。

莊吉發：《清末京師大學堂的沿革》，《大陸》第41卷第2期。

宗志文、朱信泉主編：《民國人物傳》第3卷，北京，中華書局，1981
　　　　年。

二　報刊

中文：

《新民叢報》　　　　　　　　《政藝通報》

《國粹學報》　　　　　　　　《民報》

《教育雜誌》　　　　　　　　《國學萃編》

《國學雜誌》　　　　　　　　《新青年》

《少年中國》　　　　　　　　《北京大學日刊》

《清華周刊》　　　　　　　　《新潮》

《學衡》　　　　　　　　　　《國學季刊》

《國學論叢》　　　　　　　　《北京大學研究所國學門周刊》

《北京大學研究所國學門月刊》　《廈大周刊》

《燕京學報》　　　　　　　　《國學叢刊》

《國專月刊》　　　　　　　　《齊大月刊》

《申報》　　　　　　　　　　《大公報》（天津）

《公言報》　　　　　　　　　《民國日報》（上海）

《輔仁學誌》　　　　　　　　《晨報副刊》

《北平晨報》　　　　　　　　《努力周報》

《語絲》　　　　　　　　　　《北平圖書館月刊》

《學衡》　　　　　　　　　　《燕京學報》

《史地學報》　　　　　　　　《東方雜誌》

《晨報》　　　　　　　　　　《國風》

《制言半月刊》　　　　　　　《小說月報》

《讀書月刊》　　　　　　　　《歷史語言研究所集刊》

《文字同盟》　　　　　　　　《明報月刊》

《大公報》（香港）　　　　　《讀書雜志》

《史學年報》
《中山大學語言歷史學研究所年報》
《中山大學語言歷史學研究所周刊》
《國立中山大學文史學研究所月刊》

日文：

《史學雜誌》　　　　　　　　《斯文》
《日華學報》　　　　　　　　《支那學》
《朝鮮》
《京城帝國大學學報》　　　　《東方學報》（京都）
《東洋史研究》

韓文：

《每日申報》　　　　　　　　《開闢》
《新民》　　　　　　　　　　《東明》
《東亞日報》　　　　　　　　《學燈》
《廢墟》

索引

二劃

丁山　187, 192, 256

丁文江　44, 58, 124, 164, 167, 267

丁西林　62, 263

丁來東　120

丁東　122

力昌　269

三劃

三上次男　150

土肥原　141

大山柏　135

大村西崖　143

小川琢治　148

小田省吾　145

小林胖生　144, 145, 146, 147, 149

小牧實繁　149

小泉顯夫　143, 145, 149

小島祐馬　108

小場恒吉　145

四劃

今西龍　135, 138, 141, 142

今關壽麿　36, 53, 69, 113, 293

內藤虎次郎　34, 37, 109, 110, 135

內藤乾吉　155

內藤寬　149

天沼俊一　145

孔廣森　213

孔繁霱　101, 150

尹炎武　30, 231, 232, 233, 234, 239, 244

文廷式　37, 251

方壯猷　184

毛子水　13, 96, 166, 325

毛常　268, 272

水野清一 150, 155

王了一 237

王世杰 46

王世棟 119

王先謙 41, 313

王光祈 132

王舟瑤 82

王彥祖 125

王省 174

王重民 66, 68, 243, 283, 284, 285, 290, 297, 299, 304, 307, 308, 309, 310, 313

王振先 272

王桐齡 98, 101

王庸 42, 60, 67, 93

王陽明 180, 290

王雲五 41

王肇鼎 256

王靜如 69, 237

王闓運 39, 41

五劃

史祿國（Sergei Mikhailovich Shirkogoroff） 268

司徒雷登 26

市村瓚次郎 112

本田成之 108, 110, 111

田村實造 150

田澤金吾 145, 149

田邊尚雄 25, 141, 142

白薇 263

皮錫瑞 197

六劃

伊鳳閣（A.I.Ivanov） 25, 287

全謝山 287

冰心 263

吉川幸次郎 34, 37, 48, 51, 56, 107, 111, 278, 338, 342

吉野作造 107

名越那珂次郎 145

向達 60, 69

安原生 118

成仿吾 62

朱次琦 35

朱自清 62, 63, 64, 74, 195, 196, 201, 215, 236, 237, 274, 275

朱君毅 174

朱希祖（逷先） 43

朱叔琦 234, 235

朱延豐 242

朱家健 127

朱家驊　265, 304, 325

朱師轍　232

朱熹　289, 313

朱耀翰　118

江上波夫　150, 153

江藩　68

池內宏　144, 147

竹內好　114

竹田復　112

米勒（F.W.K.Müller）　240,
　306

羽田亨　144, 237

艾諤風（Gustav Ecke）　268

七劃

何炳松　27, 87, 318

余永梁　174

余嘉錫　40, 49, 66, 233, 237,
　243

吳士鑒　40, 68

吳永　211, 226

吳汝倫　2

吳克德（K.Wulff）　25

吳其昌　161, 174, 175, 176, 206

吳承仕　18, 49, 56, 232, 324

吳南基　119

吳晗　216

吳梅　70

吳稚暉　263

吳虞　41, 43, 44, 46, 47, 48, 52,
　53, 54, 55, 59, 108, 109, 111,
　112, 304

宋育仁　12

岑仲勉　33, 38

岑春煊　213

李大釗　50, 107, 112, 118, 273

李允宰　117

李文田　35, 37, 73

李四光　16, 26, 146, 267

李石曾　55

李季　119

李宗侗（玄伯）　156

李思純　168

李書華　236, 297

李康熙　118

李盛鐸　186, 214

李敦化　115

李煜瀛　139

李聖章　237, 301

李像隱　119

李燕　236

李潤章　237

李稷勳　82

李璜　126

李濟　27, 29, 155, 169, 170, 179,
　238, 333, 334, 336, 341

李鴻章　211, 226, 269

村川堅固　145

杜威　123

杜衡　73

汪大燮　41, 73

汪榮寶　168

汪靜之　128

汪鎬基　82

沈士遠　47

沈尹默　43, 44, 48, 53, 55, 56,
　108, 110, 137, 141, 146, 325

沈宗畸　12, 37

沈兼士　20, 43, 49, 54, 55, 56,
　94, 95, 137, 139, 141, 145, 146,
　147, 161, 236, 255, 256, 262,
　275, 287, 294, 297, 330, 331

沈從文　64, 73

沈曾植　1, 35, 58

沙畹（E.Chavannes）　123

肖鳴籟　69

辛島曉　114

阪本健一　82

阪西利八郎　141

阮元　34, 35, 73, 76, 295, 347

八劃

卓明淑　118

周予同　31

周作人　43, 44, 55, 56, 57, 67,
　115, 119, 121, 141, 142, 167,
　261, 262, 274

周傳儒　184

孟森　232, 234, 284, 285, 290,
　312, 313

明義士（James Mellon
　Menzies）　25

服部宇之吉　82, 112, 142, 144

林文慶　26, 255, 258, 265, 266,
　268, 269, 270, 272

林玉堂　19, 23

林泰輔　87, 135

林景良　256

林損　43, 50, 325

林萬里　146, 256

武內義雄　64, 68, 110, 120

秉志　255, 267, 272

邱菽園　269

邵章　232

邵瑞彭　232

金昶濟　121

金柱　118

金剛秀　119

金善良　118

金毓黻　59

長廣敏雄　155

青木正兒　56, 108, 109, 110, 115,
　117, 127

九劃

俞大維　166

俞平伯　120, 128

俞樾　42, 52, 68

姚光　12

姚從吾（士鰲）　166

姜亮夫　178, 179

姜斌　118

柏卜　123

柯劭忞　36, 58, 164, 234, 239,
　324

柳根昌　117

柳詒徵　70, 92

段玉裁　295, 296

洪汝闓　232

洪業　307

狩野直喜　51, 59, 109, 110, 144

胡先驌　69

胡適　3, 8, 9, 10, 13, 14, 16, 19,
　21, 22, 23, 24, 30, 41, 42, 43,
　44, 45, 49, 50, 51, 53, 54, 55,
　56, 57, 58, 59, 60, 61, 62, 63,
　64, 65, 66, 67, 69, 70, 71, 72,
　75, 90, 91, 106, 108, 109, 110,
　111, 112, 113, 114, 115, 116,
　117, 118, 119, 120, 124, 125,
　127, 128, 129, 130, 136, 141,
　155, 158, 159, 161, 162, 163,
　164, 165, 167, 181, 182, 183,
　187, 198, 200, 215, 216, 217,
　220, 228, 232, 233, 234, 236,
　238, 239, 240, 243, 244, 246,
　252, 256, 257, 258, 259, 260,
　261, 262, 263, 264, 265, 267,
　271, 273, 274, 275, 277, 278,
　279, 280, 282, 283, 284, 285,
　286, 287, 289, 290, 291, 292,
　293, 294, 295, 296, 297, 298,
　299, 300, 301, 302, 304, 305,
　306, 307, 308, 309, 310, 311,
　312, 313, 314, 316, 317, 318,
　319, 320, 321, 322, 323, 324,

325, 332, 334, 335, 337, 341, 342, 343, 345, 349

胡樸安　22

郁達夫　263

韋奮鷹　139

十劃

倉石武四郎　110, 180

倫明　38, 233

原田淑人　101, 143, 144, 146, 147, 149, 150

唐文治　12, 39

夏曾佑　84, 85

孫人和　232

孫伏園　256

孫海波　69

孫詒讓　7, 42

孫貴定　272

孫楷第　66, 68, 237, 243, 244, 307

宮阪光次　149

宮原民平　115

容庚　24, 38, 139, 187, 188, 192, 294

容肇祖　24, 38, 72, 181, 256, 268

島田貞彥　149

島村孝三郎　143, 146, 147, 149

席啟駉　232

徐中舒　187, 192, 305

徐世昌　68

徐志摩　260, 263

徐季鈞　269

徐則陵　92, 93

徐聲金　272

桑原騭藏　8, 86, 246

浦江清　42, 60, 67, 71, 201, 237

秦景陽　44

翁文灝　146, 167, 236, 267

翁同龢　226

翁獨健　245

袁世凱　213

袁同禮　236, 251

袁復禮　237

馬伯樂（Henri Maspero）　127

馬克密　8, 135, 136

馬良　36

馬敘倫　53

馬裕藻（幼漁）　43

馬衡　27, 44, 67, 138, 139, 145, 147, 148, 149, 152, 154, 155, 187, 236, 293, 294, 297, 331, 333

高一涵　116, 117

高田真治　145

高步瀛　232

高橋健　148

十一劃

商承祚　38

崔志化　118

崔述　68

崔適　85, 87

常惠　24, 167

康白情　128

康有為　36, 40, 79, 194, 197, 208, 209, 213, 266

張之洞　12, 13, 35, 73, 80, 188, 203, 205, 206, 209, 211, 213, 226

張西堂　68

張其昀　92, 344

張星烺　24, 25, 57, 58, 101, 149, 164, 167, 236, 255, 256, 268

張相文　53, 58, 85

張彭春　165

張爾田　53, 72, 101, 174, 201, 233, 302

張聞天　62

張鳳舉　43, 137, 141, 146, 260

張蔭麟　38, 67, 71, 101, 184, 188, 189, 201, 226, 344, 345

張穆　313

張頤　268

張謇　225, 226

張競生　23

張鑫海　165

曹雲祥　162, 163, 165, 174

曹聚仁　27

梁宗岱　239, 240, 302

梁思成　237

梁鼎芬　35, 39

梅貽琦　236

淩純聲　126

畢士博（Carl Whiting Bishop）　27

盛昱　37

章士釗　259, 275

章學誠　42, 65, 108, 125

章鴻釗　167

許冠三　78

許壽裳　262

許廣平　258, 262

郭沫若　62, 97, 121, 263, 278, 298, 300, 337, 341

郭秉文　91

郭嵩燾　206

陳乃乾　256

陳世宜　232

陳守實　175, 183, 186, 194, 311

陳受頤　38, 73, 75, 237, 345

陳定謨　268, 272

陳垣　3, 8, 21, 25, 30, 31, 33, 35,
　　37, 38, 39, 40, 49, 52, 57, 58,
　　65, 66, 68, 72, 73, 98, 127, 139,
　　142, 145, 146, 149, 152, 161,
　　164, 167, 175, 186, 188, 192,
　　193, 198, 199, 215, 216, 223,
　　229, 231, 232, 233, 234, 235,
　　236, 238, 239, 240, 241, 242,
　　243, 244,단 245, 246, 247, 249,
　　250, 251, 252, 253, 254, 268,
　　301, 302, 305, 307, 311, 331,
　　333, 334, 345, 346, 349

陳衍　25, 71, 82, 268, 271

陳哲三　158

陳振先　41

陳訓慈　92, 93

陳寅恪　22, 23, 27, 29, 30, 33,
　　34, 37, 38, 40, 41, 53, 60, 65,
　　67, 71, 76, 85, 99, 100, 101,

158, 159, 161, 162, 165, 166,
167, 168, 169, 170, 172, 173,
174, 175, 176, 177, 178, 179,
182, 183, 184, 185, 186, 187,
188, 189, 190, 191, 192, 193,
194, 195, 196, 197,단 198, 199,
200, 201, 202, 203, 204, 205,
206, 207, 208, 209, 211, 213,
214, 215, 220, 221, 222, 223,
224, 226, 227, 229, 234, 240,
241, 242, 243, 246, 251, 252,
280, 306, 307, 311, 333, 334,
335, 338, 339, 340, 343, 344,
345, 346, 348, 349

陳惺農　26

陳源　43, 55, 257, 260, 261, 262,
　　263, 264, 271, 274, 275

陳萬里　139, 258, 275

陳嘉庚　26, 266, 268, 269, 270

陳夢家　344

陳漢章　24, 53, 54, 85

陳銓　184

陳樞　166

陳學昭　126

陳澧　35, 39, 68, 73, 347

陳獨秀　49, 53, 108, 109, 111,

118, 273

陳錦　126

陳燦　272

陳黻宸　38, 82, 83, 84, 85, 316

陳寶箴　197, 206, 207, 209

陸懋德　101

鳥山喜一　145

鳥居龍藏　135

十二劃

傅振倫　69, 154

傅斯年　15, 16, 27, 50, 65, 71,
　75, 78, 79, 80, 83, 85, 90, 91,
　96, 101, 155, 166, 167, 187,
　192, 195, 200, 215, 238, 240,
　242, 247, 248, 249, 252, 259,
　265, 268, 279, 306, 316, 317,
　318, 319, 320, 321, 322, 323,
　324, 325, 326, 327, 328, 329,
　330, 331, 332, 333, 334, 335,
　336, 340, 341, 342, 343, 344,
　345, 348

傅增湘　40, 123, 236, 239, 287

勞佛（Berthold Laufer）　131

單丕　49

富岡謙藏　135

斯文赫定（Seven Hedin）　156

智原喜太郎　145

曾國藩　203, 209, 219

朝岡健　142

森修　149

湯用彤　165

湯爾和　54, 55

程炎震　232

賀之才　127

賀昌群　6, 12, 42

馮友蘭　33, 40, 46, 188, 191,
　195, 196, 198, 203, 205, 221,
　223, 237, 264, 280

馮桂芬　206

馮巽占　82

馮漢驥　268

黃乃裳　269

黃文弼　146, 236

黃以周　39, 42, 68

黃仲梁　237

黃侃　48, 51, 53, 55, 67, 244,
　323, 338

黃宗羲　42, 111

黃炎培　70

黃堅　256

黃開宗　272

黃慶澄　7

黃遵憲　1, 10

黃濬　227

黑田幹一　145

十三劃

塗開輿　272

楊心如　234

楊家洛　284, 285

楊振聲　263

楊堃　126

楊棟林　88, 89

楊模　84

楊樹達　33, 40, 48, 65, 66, 67,
　98, 99, 100, 196, 198, 199, 228,
　232, 233, 253, 324, 339

楊鍾羲　234, 239

溥儀　294, 295

腦爾特（There´se P.Arnould）
　25

葉公超　195, 196

葉長青　25, 271

葉恭綽　38, 143, 148

葉培元　271

葉德輝　35, 41, 163, 292

葉瀚　24, 53, 85, 139

葛蘭言（Marcel Granet）　126

董光忠　149, 152

董作賓　24, 139, 154, 279, 326,
　327

董康　8

裘子元　146, 147

載洵　294

雷海宗　100, 102

十四劃

廖平　11, 12, 39, 41, 213

福蘭克（Otto Franke）　240

聞一多　63

臺靜農　75, 216, 277

蒙文通　50

蒙思明　343

趙一清　283, 287

趙元任　29, 128, 161, 168, 169,
　170, 175, 176, 180, 182, 333

趙萬里　67, 69, 71, 215, 251

齊念衡　69

十五劃

劉文典　43, 64, 65

劉以鍾　87

劉盼遂　69, 237

劉修業　284

劉哲　148

劉師培　2, 11, 12, 23, 39, 53, 54,
　112

劉崇鋐　101, 150

劉節　155, 237

劉樹杞　255, 258, 265, 266, 267,
　269, 272

劉錦棠　226

樊守執　250

潘家洵　256

潘祖蔭　37

蔣廷黻　96, 98, 99, 100, 101,
　128, 150, 183, 237

蔣復璁　305

蔣瑞藻　127

蔣夢麟　50, 55, 57, 70, 74, 121,
　141, 236, 325, 332

諸橋轍次　87, 113, 114

鄧之誠　101

鄧實　23, 36, 39, 73

鄧廣銘　75, 191, 202

鄭天挺　245

鄭光好　118

鄭伯奇　62

鄭振鐸　15, 27, 34, 277

鄭奠　43, 293

鄭樵　65

駒井和愛　149, 150

魯賓孫（Robinson）　87

黎東方　237

黎錦熙　237

十六劃

橋川時雄　40, 107, 112, 152,
　294

澤村專太郎　25, 141, 142

蕭一山　101

錢玄同　43, 44, 48, 53, 55, 56,
　63, 65, 108, 262, 287, 323

錢碩人　85

錢穆　42, 50, 60, 63, 97, 98, 101,
　102, 159, 175, 194, 195, 196,
　197, 198, 200, 310, 323, 332,
　335, 338, 343, 344, 346, 347,
　348, 349

錢靜方　120

錢鍾書　198, 200

鮑廷博　251

十七劃

戴密微（Paul Demieville）　25

戴震　52, 126, 283, 285, 287, 289, 290, 294, 295, 296, 298, 299, 300, 313

繆鳳林　92

謝國楨　69, 237

鍾心煊　272

十八劃

藍文徵　159, 179

魏建功　24, 138, 139, 284, 285, 287, 290

魏源　40, 313

十九劃

羅香林　38

羅家倫　96, 100, 101, 166, 335

羅振玉　12, 23, 33, 127, 135, 136, 163, 167, 174, 187, 201, 238, 292, 293, 305, 323

羅根澤　69, 195

羅素　123

羅常培　64, 268

羅庸　146, 147, 149, 152, 237

羅福成　167

藤田亮策　144, 145

二十劃

嚴耕望　200, 332, 347, 348

闞鐸　148

二十一劃

蘭克（Leopold von Ranke）335

顧令（Samuel Couling）124

顧孟餘　55

顧炎武　4, 42, 68, 219

顧實　70

顧頡剛　12, 24, 55, 56, 57, 65, 72, 127, 129, 143, 146, 152, 156, 163, 167, 168, 194, 195, 238, 255, 256, 257, 258, 259, 260, 262, 263, 264, 265, 268, 271, 275, 276, 278, 279, 280, 293, 294, 310, 316, 317, 318, 320, 321, 323, 324, 326, 327, 328, 329, 330, 331, 332, 334, 335, 336

二十二劃

龔易圖　250

龔惕庵　272

二十四劃

鹽谷溫　260

近現代中華文化思想叢刊　A0102008

晚清民國的國學研究　下冊

作　者　桑　兵	
責任編輯　楊家瑜	

發 行 人　林慶彰

總 經 理　梁錦興

總 編 輯　張晏瑞

編 輯 所　萬卷樓圖書股份有限公司

臺北市羅斯福路二段 41 號 6 樓之 3

電話 (02)23216565

傳真 (02)23218698

出　　版　昌明文化有限公司

桃園市龜山區中原街 32 號

電話 (02)23216565

發　　行　萬卷樓圖書股份有限公司

臺北市羅斯福路二段 41 號 6 樓之 3

電話 (02)23216565

傳真 (02)23218698

電郵 SERVICE@WANJUAN.COM.TW

ISBN 978-986-496-106-1

2019 年 1 月初版二刷

2018 年 1 月初版

定價：新臺幣 260 元

如何購買本書：

1. 劃撥購書，請透過以下郵政劃撥帳號：

　　帳號：15624015

　　戶名：萬卷樓圖書股份有限公司

2. 轉帳購書，請透過以下帳戶

　　合作金庫銀行　古亭分行

　　戶名：萬卷樓圖書股份有限公司

　　帳號：0877717092596

3. 網路購書，請透過萬卷樓網站

　　網址 WWW.WANJUAN.COM.TW

大量購書，請直接聯繫我們，將有專人為您

服務。客服：(02)23216565 分機 610

如有缺頁、破損或裝訂錯誤，請寄回更換

版權所有・翻印必究

Copyright©2018 by WanJuanLou Books CO.,

Ltd.All Rights Reserved　**Printed in Taiwan**

國家圖書館出版品預行編目資料

晚清民國的國學研究 / 桑兵著.-- 初版.-- 桃

園市：昌明文化出版；臺北市：萬卷樓發

行, 2018.01

　　冊；　　公分.--(中華文化思想叢書)

ISBN 978-986-496-106-1(下冊：平裝)

1.漢學研究　2.中國

030.31　　　　　　　　　　　　107001272

本著作物經廈門墨客知識產權代理有限公司代理，由北京師範大學出版社（集團）有

限公司授權萬卷樓圖書股份有限公司出版、發行中文繁體字版版權。